Rosa-Maria Dallapiazza | Sandra
Roland Fischer | Angela Kilimann
Anja Schümann | Maresa Winkler

# Ziel B2

## Deutsch als Fremdsprache

## Kursbuch

Band 1
Lektion 1 – 8
Niveau B2/1

Hueber Verlag

**Berater**
Ida Farkas, Ungarn
Anja Geisler, Spanien
Miguel Angel Sánchez, Spanien
Gabriele Schweller, Deutschland
Andreas Werle, Österreich

| 7. | 6. | 5. | | | Die letzten Ziffern |
|----|----|----|----|----|---------------------|
| 2019 | 18 | 17 | 16 | 15 | bezeichnen Zahl und Jahr des Druckes. |

Alle Drucke dieser Auflage können, da unverändert,
nebeneinander benutzt werden.
1. Auflage
© 2008 Hueber Verlag GmbH & Co. KG, 85737 Ismaning, Deutschland
Layout: Marlene Kern, München
Druck: Firmengruppe APPL, aprinta druck, Wemding
Printed in Germany
ISBN 978-3-19-001674-7

# Inhalt

# Vorwort

## Liebe Lernerinnen und Lerner,

das **Lehrwerk** besteht aus **Kursbuch, Band 1 / Lektion 1–8** und

**Kursbuch, Band 2 / Lektion 9–16.**

Das **Kursbuch** enthält **acht Lektionen**. Jede Lektion hat 14 Seiten.

Eine Lektion beginnt immer mit einer **Einstiegsseite**.

Hier finden Sie das **Lektionsziel** sowie eine **Übersicht** über die einzelnen Lernziele und die Textsorten.

Mit den **Fotos** und den **Aufgaben** steigen Sie in das Thema einer Lektion ein.

In den **Lektionsabschnitten A, B, C** ... lernen Sie mit den verschiedenen Lese- und Höraufgaben sowie den Sprech- und Schreibanlässen Schritt für Schritt alles, was Sie zum Erreichen des Lektionsziels brauchen.

1.11

Die **Tracknummern** zeigen Ihnen, wo Sie die Hörtexte auf der **Audio-CD** 1 oder 2 finden.

unglaublich/
unheimlich/
furchbar nett
GRAMMATIK 10–12

AB 10–16

PHONETIK 13
SÄTZE BAUEN 14–16

Diese **Verweise** sind Ihr Wegweiser vom Kursbuch ins Arbeitsbuch. Sie sagen Ihnen, welche Übungen Sie an dieser Stelle machen können.

Fokus Grammatik:

Eine Besonderheit des Kursbuchs sind die **Fokus-Grammatik-Seiten**.
Auf diesen werden wichtige Themen der Grammatik zusammengefasst und systematisiert.
Die Lösungen zu den Aufgaben finden Sie im Anhang.

Auf den beiden **Übersichtsseiten** werden die Grammatikinhalte und die Wendungen und Ausdrücke jeder Lektion übersichtlich zusammengefasst.

Die **Fotodoppelseiten** am Ende einer Lektion bieten Material zur freien Anwendung.
Aufgaben für kleine und größere Projekte finden Sie dazu im Internet:
www.hueber.de/ziel.

■ Im **Arbeitsbuch** finden Sie zu jedem Thema des Kursbuches das passende Angebot:

GRAMMATIK: Strukturen und Formen lernen, systematisieren und üben,

WORTSCHATZ: Wortnetze erweitern, festigen und üben,

PHONETIK: Satzbetonung und Satzmelodie üben,

SÄTZE BAUEN: und TEXTE BAUEN: Sätze und Texte mithilfe der Wendungen und Ausdrücke formulieren,

DIKTAT, TEXTE LESEN: und PRÜFUNGSVORBEREITUNG: Fertigkeiten erweitern und vertiefen.

■ Auf der **Audio-CD/CD-ROM** zum Arbeitsbuch finden Sie Wortlisten, Grammatikdarstellungen und Portfolioaufgaben sowie die Hörtexte des Arbeitsbuches.

■ Zu dem Kursbuch gibt es darüber hinaus noch umfangreiches Zusatzmaterial. Detaillierte Informationen finden Sie deshalb unter www.hueber.de.

Mit Ziel B2 kommen Sie sicher an Ihr Ziel!

Ihr Autorenteam

# 1 Erlebt

kontroverse Gespräche mit vertrauten Menschen führen

WORTNETZE Statistische Angaben | soziale Gruppen | Wörter der Gefühle | persönliche Beziehungen

GRAMMATIK kausale Angaben | Ergänzungssätze *dass* | konzessive Angaben | modale Angaben: etwas vermuten

WENDUNGEN UND AUSDRÜCKE Überraschung ausdrücken | über Statistiken sprechen | Inhalte wiedergeben | Vermutungen äußern und begründen | Interesse signalisieren | Zustimmung äußern | Aussagen einschränken | Verständnis zeigen | eigene Meinung äußern |

# 2 Faszination

ein persönliches Erlebnis erzählen

WORTNETZE Landschaftswörter | Musik

GRAMMATIK Adjektive: Verwendung, Steigerung Nominalisierung | Wortbildung: Adjektiv | Graduierung | temporale Angaben: *wenn, als* | Zeitformen (Vergangenheit)

WENDUNGEN UND AUSDRÜCKE Vergleiche formulieren | etwas/jmd beschreiben | Eigenschaften besond hervorheben, verstärken | erzählen, berichten |

++ kontroverse Gespräche mit vertrauten Menschen führen +++ kontroverse Gespräche mit vertrauten Menschen führen +++ kontro

...enschen führen +++ **kontroverse Gespräche mit vertrauten Menschen führen** +++ mit ve

...ertrauten Menschen führen +++ kontroverse Gespräche mit vertrauten Menschen führen +++ kontroverse Gespräche mit vertrauten M

# Erlebt 1

**C**

**B**

**F**

**A**

**E**

**D**

**1** Was haben die Fotos wohl mit dem Thema „Erlebt" zu tun?

**2** Was fällt Ihnen noch zu diesem Thema ein?

*einfallen – What comes to mind!*

**Lernziel: kontroverse Gespräche mit vertrauten Menschen führen**

→ Überraschung ausdrücken

→ zusammenfassen, worum es in einem Text geht

→ etwas vermuten und die Vermutungen begründen

→ Interesse zeigen

→ Verständnis zeigen

→ die eigene Meinung äußern

→ Zustimmung äußern

→ mit einer Einschränkung reagieren

**Textsorten**

Statistische Angaben

Erzählung    Zeitungsartikel

Zuschriften    Online-Magazin

Statements    Interview

# Einmal im Leben ...

**A**

1.2

Was sollte man einmal im Leben erlebt haben?
Hören Sie die Statements und ordnen Sie zu.

| Person | 1 | 2 | 3 | 4 | 5 |
|--------|---|---|---|---|---|
| Foto | | | | | |

 A     B     C     D     E

Wie sehen Sie das?

**a** Sind das Dinge, die man einmal erlebt haben sollte? Markieren Sie mit + oder -.

Bild    A ☐    B ☐    C ☐    D ☐    E ☐

**b** Sind Sie einverstanden oder haben Sie andere Ideen? Sprechen Sie.

*einverstanden — agreed*

> Eine Rallye, ja, das finde
> ich auch! Da würde ich auch
> gern mal mitmachen.

> Das ist sicher spannend,
> aber ich persönlich würde viel
> lieber mal eine Weltreise ...

# „jung" und „alt"

**B**

Was verbinden Sie mit den Wörtern
„jung" und „alt"?
Ergänzen Sie und vergleichen Sie.

*Moral Optimistisch.*
*Nachwuchs.*
*Jugend*
*Jungs.*
*Schule*
*energetisch.*

*Weise ich ...*
*graue Haare*
*kümmern sich.*
*um*

*Ich kümmere mich um meine Gesundheit.*

Aus der Sicht der Statistik

**a** Arbeiten Sie zu zweit. Entscheiden Sie zuerst, wer welche der folgenden
beiden Statistiken nimmt, und bearbeiten Sie dann die dazu passende Aufgabe.

● „Jung sein in Deutschland" – Lesen Sie den Text 1 auf Seite 126 und lösen Sie die Aufgaben.
● „Alt sein in Deutschland" – Lesen Sie den Text 2 auf Seite 130 und lösen Sie die Aufgaben.

**b** Berichten Sie Ihrer Partnerin / Ihrem Partner, was Sie gelesen haben.
Ihre Partnerin / Ihr Partner reagiert. Verwenden Sie auch die folgenden Wendungen
und Ausdrücke.

AB 1–7

WORTSCHATZ 1–3
SÄTZE BAUEN 4–7
**W**

Das finde ich erstaunlich.     Ich hätte (nicht) gedacht, dass ...
Das kann doch nicht stimmen.   Das ist ja unglaublich.
Das überrascht mich (nicht).

> Hier steht, dass die Deutschen heute
> doppelt so alt werden wie im 19. Jahrhundert.
> Das hätte ich nicht gedacht. Du?

> Nein, das
> überrascht
> mich auch.

**c** Wie leben ältere und junge Menschen in Ihrem Heimatland
oder in einem anderen Land, das Sie gut kennen? Erzählen Sie.

**C1** Haben Sie schon einmal etwas geerbt oder gibt es in Ihrer Familie Dinge, die weitervererbt werden? Erzählen Sie.

> Meine Mutter hat so eine Perlenkette, die haben auch schon meine Oma und meine Uroma getragen.

**C2 a** Lesen Sie die Fragen 1–3 und lesen Sie dann den Text.

1 Was erfährt man über das Geburtstagsgeschenk?
2 Warum geht die Mutter zum Juwelier?
3 Warum heißt die Geschichte „Geplatzter Traum"?

# Geplatzter Traum

An meinem 18. Geburtstag nahm mich meine Mutter beiseite und sah mir mit ernstem Blick in die Augen. „Hör mal", sagte sie, „du weißt, dass wir nicht reich sind." – „Genau." – „Wir können dir keine teuren Geschenke machen." – „Ja." – „Aber dieser Ring hier", sagte sie, „der ist das Wertvollste, was ich zu verschenken
5 habe."

Der Ring blitzte an der linken Hand meiner Mutter, seitdem ich denken konnte, und war schon immer unser Familienschmuck. Er stammt ursprünglich von meiner Großtante Irma, die hatte ihn von ihrem früh verstorbenen Mann Ferdinand bekommen, bevor er in den Krieg ziehen musste. Wo der ihn wiederum herhatte, weiß nie
10 mand zu erzählen. Auf der Innenseite hat jemand die Zahl 1897 eingravieren lassen und die Initialen L.C. In der Mitte leuchtete ein großer roter Stein. „Unser Rubin", sagte meine Mutter immer, und dann waren alle stolz. Diesen Rubin bekam ich also geschenkt mit der Ermahnung, immer gut darauf aufzupassen.

Ein Jahr nach meinem 18. Geburtstag lieh meine Mutter sich den Ring aus: „Ich
15 geh' jetzt mal zum Juwelier und lass' unseren Rubin schätzen." – „Frau Buchholz", sagte der Juwelier, „wäre das hier ein Rubin, könnten Sie ihn nicht einfach so am Finger tragen, sondern müssten ihn in einen Tresor legen." Meine Mutter hatte gar nicht richtig zugehört. „Wie bitte?", fragte sie. „Na ja", sagte der Juwelier, „der wäre Zehntausende wert, anders gearbeitet und hätte ganz sicher nicht diesen
20 kleinen Kratzer hier. Das Ding hier ist maximal fünfzig, sechzig Euro wert, für Liebhaber von alten Glassteinen, es gab da mal so eine Mode, am Anfang des Jahrhunderts ..." So platzte der Traum vom bescheidenen Reichtum unserer Familie. Seither ist meine Mutter eher einsilbig, wenn wir über den Ring sprechen. Ich trage ihn trotzdem, Tag und Nacht ...

*Simone Buchholz*

**b** Lesen Sie den Text noch einmal, beantworten Sie die Fragen und machen Sie sich dann Notizen zu Ihren Antworten.

**a** Lesen Sie Ihre Notizen und fassen Sie den Inhalt zusammen.

*Die Erzählung „Geplatzter Traum" von*
*Simone Buchholz handelt von einer Erbschaft.*
*Die Erzählerin bekommt ...*

*...*

*Die Familie glaubt, dass ... .*
*Eines Tages ...*

AB 8–14

WORTSCHATZ 8–10
SÄTZE BAUEN 11, 12
TEXTE BAUEN 13, 14

**b** Lesen Sie und vergleichen Sie Ihre Zusammenfassungen im Kurs.
Schreiben Sie dann gemeinsam eine Musterlösung.

**Warum trägt die Ich-Erzählerin den Ring trotzdem?**
**a** **Was glauben Sie? Ergänzen Sie.**

aus Tradition ▪ aus Liebe ▪ aus Pflichtgefühl ▪ weil/dass ... gefällt ▪
aus Gewohnheit ▪ wegen ihrer Mutter ▪ wegen der Erinnerung an ... ▪
weil/dass ... an ... erinnert ▪ weil ... getragen hat ▪ aus Trotz ▪ weil/dass ... tragen muss

wegen der Mutter
aus Trotz
..., weil ...
 getragen hat.
GRAMMATIK 16–19

Sie trägt ihn .aus.Trotz............ .

Möglicherweise ............................. .

Vielleicht auch ............................. .

Es könnte sein(,) ............................. .

Ich könnte mir vorstellen(,) ............................. .

Vermutlich trägt sie den Ring, ............................. .

Sie hat das Gefühl, ............................. .

vermutlich /
möglicherweise /
eventuell
GRAMMATIK 20

AB 15–21

WORTSCHATZ 15
SÄTZE BAUEN 21

**b** Sprechen Sie jetzt. Verwenden Sie die Wendungen und Ausdrücke aus a.

> Möglicherweise
> wegen ihrer Mutter.

> Oder sie trägt
> ihn aus Trotz.

> Ich könnte mir
> vorstellen, dass ...

**c** Lesen Sie jetzt das Ende des Textes auf Seite 124
und vergleichen Sie es mit Ihren Vermutungen. Sprechen Sie.

**Was würden Sie in dieser oder in einer ähnlichen Situation möglicherweise machen?**
**Warum? Sprechen Sie.**

# Fokus Grammatik: *dass* und *weil* im Kontext verstehen

**1 a** Lesen Sie.

1 Also, wahrscheinlich trägt sie den Ring, weil sie glaubt, dass er ihr Glück bringt.

2 Ich weiß, warum sie den Ring trägt. Weil er ein Erbstück ist.

3 Vielleicht hat sie das Gefühl, dass sie ihn wegen der Mutter tragen muss.

**b** Wann steht *weil* und wann steht *dass*? Lesen Sie und kreuzen Sie an.

dass weil

1 ☐ ☐ steht nach Verben des Sprechens, Hörens, Sehens, Fühlens, Meinens etc., z. B. *hören, erfahren, sagen, denken, meinen* etc.

2 ☐ ☐ steht, wenn es einen Grund für etwas gibt.

3 ☐ ☐ steht nach Nomen mit Verben wie *das Gefühl haben, die Hoffnung haben, die/eine Tatsache sein* ...

**2 a** Lesen Sie und überprüfen Sie die Regeln dann an den Beispielen in b.

Der *dass*-Satz gehört zum Verb, man kann ihn **nicht** weglassen. Diese Sätze nennt man **Ergänzungs**sätze. Ohne den Ergänzungssatz ist der Satz nicht vollständig.

Ich höre,         dass er nach Hause kommt.
Er sagt,          dass er krank ist.

Der *weil*-Satz liefert eine zusätzliche Information, die **Angabe** eines Grundes. Man kann diese **Angabe**sätze weglassen. Auch ohne Angabesatz ist der Satz vollständig.

Ich gehe früh schlafen,     weil ich müde bin.

**b** Lesen Sie die folgenden beiden Sätze. Welche Nebensätze kann man weglassen?

1 Jetzt habe ich erfahren, dass ich im Internet kein Hotel reservieren kann, weil ich keine Kreditkarte habe. Ich hoffe, dass du mir deine leihen kannst, weil ich unbedingt ein Zimmer in Wien brauche.

2 Ich beobachte täglich, dass viele Leute ihr Handy in U-Bahnen und Zügen benutzen, weil sie sich sonst langweilen.

**3** Lesen Sie die Texte 1 und 2. Oft sind sowohl *dass* als auch *weil* möglich. *Weil* bezieht sich dann aber immer auf eine warum-Frage. Siehe Text 2.

| 1 | 2 |
|---|---|
| 1 Die Autorin von „Geplatzter Traum" im 2 Gespräch: „ … Die Tatsache, dass sie den 3 Ring noch trägt, erstaunt in der Tat. Aber 4 warum sie das tut? Sicher auch, weil sie, wie 5 sie sagt, abergläubisch ist. *Ich denke* aber 6 auch, dass sie demonstrieren will, dass es ihr 7 egal ist, ob der Ring wirklich wertvoll ist 8 oder nicht. Dass ihr also materielle Dinge 9 nicht so wichtig sind." | 1 Die Autorin von „Geplatzter Traum" im 2 Gespräch: „ … Die Tatsache, dass sie den 3 Ring noch trägt, erstaunt in der Tat. *Aber* 4 *warum sie das tut?* Sicher auch, weil sie, wie 5 sie sagt, abergläubisch ist. Ich denke aber 6 auch, weil sie demonstrieren will, dass es ihr 7 egal ist, ob der Ring wirklich wertvoll ist 8 oder nicht. Weil ihr also materielle Dinge 9 nicht so wichtig sind." |

**4** *dass* und *weil* in literarischen Texten. Beachten Sie beim Lesen, worauf sich *weil* und *dass* beziehen.

1 Kann das *ein Motiv* für einen Selbstmord *sein*? Dass er plötzlich Angst hat, er könnte sein Amt verlieren? Aus irgendeinem idiotischen Grund? Einem politischen? Oder privaten? *Gibt es* so eine *Situation*? Dass die Angst vor dem Tod kleiner ist als die Angst vor dem Weiterleben?

2 „Du willst jetzt aber nicht *sagen*, dass ich ihn umgebracht hab, bloß weil ich nicht gesagt hab, komm nach Haus, oder?

3 „Mami", sagte der Murkel\*, „weißt du, *warum* die Katze immer schläft am Tag\*\*? Weil sie nämlich in der Nacht immer Mäuse fangen muss.

*Gerald Szyszkowitz*

\* der Kosename eines Jungen   \*\* tagsüber schläft   AB 32

# Liebesglück heute

**D**

### Singlebörsen

**a** Was sind „Singlebörsen"? Was wissen Sie darüber? Sprechen Sie im Kurs.

**b** Lesen Sie den Artikel und die Aussagen. Kreuzen Sie an: richtig oder falsch?

## Liebe via Web: sortiert nach Alter, Herkunft und Beruf
### Onlinedating als Volkssport – Singles geben 40 Millionen Euro für die Suche aus

„Ich hab' sie!" Zahlreiche Werbeplakate locken mit der großen Liebe. Das weltweite Internet ist ein Paradies für Partnersuchende. Mehr als 2500 Online-Singlebörsen gibt es mittlerweile allein im deutschsprachigen Raum. Und 18 % aller deutschen Internetnutzer sollen tatsächlich einen Lebensgefährten im Internet-Dschungel gefunden haben. Glaubt man einer Marktanalyse von „single-boersen-vergleich.de", so nutzen heute rund 4,6 Millionen Menschen Onlinedating. Tendenz steigend.

|   | r | f |
|---|---|---|
| 1 Singlebörsen werben damit, dass man mit ihrer Hilfe die große Liebe findet. | ☐ | ☐ |
| 2 Immer mehr Internetnutzer lernen sich im Internet kennen. | ☐ | ☐ |
| 3 Die Partnersuche in Singlebörsen ist kostenlos. | ☐ | ☐ |

AB 22 ➤ WORTSCHATZ

### Aus dem Gästebuch einer Singlebörse

**a** Lesen Sie die folgenden Zuschriften und lösen Sie die Aufgaben.

> Mag ja sein, dass viele das Kennenlernen im Internet total unromantisch finden, aber das können wir nicht bestätigen! Zwei schwer Verliebte sagen danke und grüßen alle, die sich finden wollen und werden. Timo und Maja

1 Welches Vorurteil sprechen Timo und Maja an?
2 Können die beiden das Vorurteil bestätigen?

> Hallo, liebes Team vom Dating-Café, wir hatten zwar anfangs auch so unsere Zweifel und wollten schon aufgeben, aber dann plötzlich ... Das ist wirklich eine tolle Gelegenheit, nette Menschen kennenzulernen, die man sonst nie treffen würde. Ohne Euch hätten wir uns jedenfalls nie gefunden. Danke!!!!
>
> Doris und Peter

3 Wie beurteilten die beiden am Anfang ihre Möglichkeiten im „Dating-Café"?
4 Warum beurteilen sie das heute anders?

**b** Wie denken Sie persönlich über die Partnersuche im Internet?

1 Sammeln Sie Argumente dafür und dagegen.

*Singlebörse*

*pro*
*eine Chance haben*

*kontra*
*enttäuscht werden*

Mag ja **sein**, dass
..., aber ...
... zwar ..., aber ...
GRAMMATIK 23–25

2 Sprechen Sie. Verwenden Sie dabei auch die folgenden Wendungen und Ausdrücke.   AB 23–26

Das sehe ich auch so.
Mag ja sein, dass viele ..., aber das ...
Wir hatten/Ich habe zwar ..., aber dann ...
Ja schon, aber ...

SÄTZE BAUEN 26

> Mag ja sein, dass die meisten enttäuscht werden, aber einige finden doch einen Partner.

> Ja schon, aber ...

# Fokus Grammatik: konzessive Angaben – etwas einschränken

**1** Lesen Sie den Text. Was denken Theos Freunde über die Verhaftung?
Ergänzen Sie das Gespräch.

meine Zweifel, aber ... ■ zwar ... aber ■ mag ja sein, dass ..., aber ... ■ ja schon, aber ... ■ aber

### Seit Langem gesuchter Kreditkartenbetrüger gefasst

Theo Rauch wurde gestern Abend gegen 20 Uhr von der Polizei der
Einsatzstelle Georgenstraße verhaftet. Wie die Polizei gestern mit-
teilte, soll Theo Rauch seit Jahren mit den Kreditkarten seiner
Freunde und Freundinnen Geld von der Bank abgehoben haben.
Zur Zeit seiner Verhaftung befand er sich in dem berühmten
Restaurant Rossini, wo er mit seiner Freundin Sonja Süß, der
bekannten Fernsehschauspielerin,  zu Abend aß. Sonja Süß sagte
aus, dass es sich um eine Verwechslung handeln muss.

1 ◆ ............................................. Theo nie Geld hat, ................. so etwas würde er doch nie tun.

2 ▼ Stimmt. Theo hat ...................... nie Geld, ...................... er braucht auch keins, er wird doch immer
     eingeladen. Und seine Freundin hat doch auch genug, oder?

3 ● ............................................. vielleicht wollte er auch mal eigenes Geld haben und sich
     was kaufen oder Freunde einladen. Irgendwann hält man so ein Leben doch nicht mehr aus.

4 ■ ...................... Theo doch nicht. Er war doch immer so gut gelaunt, so fröhlich, hilfsbereit.
     So einer braucht doch kein Geld.

5 ◆ Na ja, ich habe auch so ................................................. würde die Polizei ihn ohne Beweise verhaften?
     Ganz bestimmt nicht. Und wissen wir wirklich, wie er ist?

**2** Lesen Sie den Satz. Welcher der Sätze 1–3 drückt ungefähr dasselbe aus? Kreuzen Sie an.

*Mag ja sein, dass du das Kennenlernen im Internet unromantisch findest,*
*aber das kann ich nicht bestätigen.*

1 ☐ Ich kann verstehen, dass du das Kennenlernen im Internet unromantisch findest,
     aber das kann ich nicht bestätigen.

2 ☐ Ich finde es gut, dass viele das Kennenlernen im Internet unromantisch finden,
     aber das kann ich nicht bestätigen.

3 ☐ Es stimmt nicht, dass viele das Kennenlernen im Internet unromantisch finden,
     und ich kann das nicht bestätigen.

**3** Ein liebenswerter Typ, dieser Theo Rauch, man kann ihm einfach nicht böse sein.
Bilden Sie Sätze *mag ja sein, dass ..., aber ...*

**schlechte Eigenschaften:** faul sein ■ nicht arbeiten ■ viel Geld ausgeben ■ kein Geld
verdienen ■ nie das Essen bezahlen ■ sich immer Geld leihen ■ Schulden nie zurückzahlen

**gute Eigenschaften:** gute Laune verbreiten ■ viel wissen ■ gern helfen ■ tolle Witze
erzählen ■ gute Manieren haben ■ gut kochen können ■ gut zuhören können ■
alles verstehen

> Mag ja sein, dass er
> faul ist, aber ...

AB 33 →

**1.3**

**a** Sehen Sie die Bilder an und hören Sie die Musik.

☐ 20er/30er-Jahre

☐ 40er/50er-Jahre

☐ 60er-Jahre

**b** Zu welcher Zeit gehören die Musik und die vier Fotos? Kreuzen Sie an.

**1.4**

## Karobube mit Ohrring

**a** Hören Sie den ersten Abschnitt des Interviews. Kreuzen Sie dann an.

| | | |
|---|---|---|
| 1 Das Interview ist | ☐ offiziell. | ☐ privat. |
| 2 Die Gesprächspartner sind | ☐ verwandt. | ☐ nicht verwandt. |
| 3 Ihr Verhältnis zueinander ist | ☐ eher distanziert. | ☐ sehr vertraut. |
| 4 Die Atmosphäre ist | ☐ locker. | ☐ angespannt. |

**.5–8**

**b** Lesen Sie die Sätze. Hören Sie dann das Interview in den Abschnitten A–D.
Finden Sie zu jedem Abschnitt die passenden Sätze. Bringen Sie sie dann in die
richtige Reihenfolge. So erhalten Sie eine Zusammenfassung der Geschichte.

Abschnitt  Satz

A  ..2..  Sie nimmt die Einladung an.

☐  .......  Das Fest ist in vollem Gange und Kurt Smidt spielt zu dem Grammofon auf seiner Geige.
Fräulein Wulf ist von ihm begeistert.

☐  .......  Vor der Tür des Gastgebers fragt Herr Höhe Fräulein Wulf nach ihrem Vornamen,
aber den will sie ihm nicht sagen.

☐  .......  Kurt Smidt ruft sie an. Die beiden treffen sich und verlieben sich ineinander.

☐  .......  Sie schreibt eine Postkarte und sagt, sie hat einen Ohrring bei ihm in der Wohnung verloren.

A  ..1..  Richard Höhe will mit seinen Freunden vom Kartenklub Fasching feiern und fragt Fräulein Wulf,
ob sie ihn begleiten möchte.

☐  ..4..  Richard Höhe holt sie mit dem Taxi ab und sie fahren zu der Wohnung von Kurt Smidt.

☐  .......  Fräulein Wulff will Kurt Smidt wiedersehen. Und sie hat auch eine Idee, wie:

☐  .......  Spät in der Nacht bringt Richard Höhe sie wieder nach Hause.

A  .......  Sie besorgt sich ein Kostüm: Sie geht als Karobube.

☐  .......  Also stellt er sie als „Wölfle" vor. Der Gastgeber, Kurt Smidt, ist als Spanier verkleidet.

## Rollenspiel: Wählen Sie zu zweit eine Situation.
## Machen Sie Notizen und spielen Sie das Gespräch.

AB 27, 28

SÄTZE BAUEN 27
PHONETIK 28

**1**  **A** Sie sind Helene Wulf. Sie treffen
Ihre Freundin und erzählen ihr die ganze
Geschichte von der Faschingsparty,
der Postkarte und dem späteren Treffen.

**B** Sie sind die Freundin von Helene Wulf.
Sie reagieren sehr interessiert: Ist ja interessant /
unglaublich / ... ■ Unglaublich! ■ Du warst
bestimmt ..., oder? ■ ... hätte ich gern gesehen.

**2**  **A** Sie sind Kurt Smidt. Sie treffen einen
guten Freund und erzählen ihm die ganze
Geschichte von der Faschingsparty,
der Postkarte und dem späteren Treffen.

**B** Sie sind der Freund von Kurt Smidt:
Sie reagieren sehr interessiert: Ist ja interessant /
unglaublich / ... ■ Unglaublich! ■ ... hätte ich gern
gesehen. ■ Du warst bestimmt ..., oder?

Du, ..., ich hab' einen
tollen Mann kennengelernt.

Ist ja spannend!
Erzähl mal, wie ...

# F Mitten im Leben

**F1** Wann ist man „erwachsen"? Sprechen Sie und sammeln Sie Ihre Kriterien im Kurs.
Weitere Informationen und Anregungen dazu finden Sie auf Seite 123.

**F2** Mitten im Leben

**a** Lesen Sie die Aufgabe. Lesen Sie dann den ersten Absatz. Was ist richtig? Kreuzen Sie an.

1 Wo könnte dieser Textauszug stehen? ☐ in einem wissenschaftlichen Artikel ☐ in einem Online-Magazin
☐ im Nachrichtenteil einer Tageszeitung

2 Worum geht es? ☐ um die Biografien von Genies ☐ um die eigenen Ziele im Leben

Vor Kurzem machte ich eine erschreckende Entdeckung: Albert Einstein war erst 26 Jahre alt, als er die Allgemeine Relativitätstheorie veröffentlichte. Ich selber war hingegen gerade 27 geworden – und irgendwie betrübte mich das Wissen um Einsteins Alter, als er das wichtigste Werk seines Lebens schuf. Kurz darauf las ich, dass Thomas Mann ebenfalls erst 26 war, als sein Roman *Die Buddenbrooks* erschien, für den er Jahre später den Nobelpreis bekam. Abermals dachte ich: Hmmm … Nicht dass ich selber vorhatte, in dem Alter ein gleichartiges Werk der Welt vorzustellen. Aber es war immer beruhigend zu wissen, dass man es prinzipiell noch konnte. Das ist jetzt vorbei. Ich kann sicher sagen: Ich habe mit 26 nichts Weltbewegendes geleistet.
Am Anfang redete ich mir noch ein: „Na ja, Albert Einstein und Thomas Mann, das waren halt Genies …" Aber dann erwähnte eine Freundin etwas, was mich abermals zum Nachdenken brachte. Sie meinte: „Als meine Großmutter so alt war wie ich, hatte sie schon einen Beruf erlernt, geheiratet, zwei Kinder geboren, ein Haus eingerichtet und alles wieder auf der Flucht verloren. Sie baute sich im selben Alter schon ihre zweite Existenz auf, während ich noch nicht mal meine erste richtig stehen habe."
Die Zeichen begannen sich zu häufen, dass möglicherweise auch bei mir langsam der Zeitpunkt gekommen war, wo ich etwas vorzuweisen haben sollte. Wo es nicht mehr heißen kann: „Eigentlich sollte ich erwachsen WERDEN", sondern wo es heißen muss: „Eigentlich sollte ich erwachsen SEIN." Die Zeit des Sich-Vorbereitens auf das „eigentliche" Leben ist zu Ende gegangen. Neuerdings muss ich wohl sagen: „Ich stehe mitten im Leben."
Davor war es nicht allzu schwer, den richtigen Lebensweg zu erkennen. Abitur machen. Studienfach wählen. Zweifel überwinden. Ins Ausland gehen. Diplomarbeit schreiben. Studium abschließen. Den ersten Job finden. Ab da aber wurde es unsicher.

**b** Lesen Sie jetzt weiter und kreuzen Sie an: richtig oder falsch?

|  | r | f |
|---|---|---|
| 1 Der Autor hat das Gefühl, dass er in seinem Leben schon etwas Besonderes erreicht hat. | ☐ | ☐ |
| 2 Seine Freundin meint, dass ihre Großmutter im selben Alter schon viel mehr geleistet hat als sie selbst. | ☐ | ☐ |
| 3 Der Autor glaubt, dass man lieber nie erwachsen werden sollte. | ☐ | ☐ |
| 4 Er weiß nicht genau, wie sein Leben weitergehen soll. | ☐ | ☐ |

**c** Wie werden folgende Punkte im Text gesehen: positiv oder negativ? Kreuzen Sie an.

|  | eher positiv | eher negativ |
|---|---|---|
| 1 Wie beurteilt der Autor die Leistung der genannten berühmten Männer? | ☐ | ☐ |
| 2 Wie beurteilt er seine eigene Leistung im Vergleich dazu? | ☐ | ☐ |
| 3 Wie beurteilt seine Freundin die Leistungen ihrer Großmutter? | ☐ | ☐ |
| 4 Wie beurteilt sie ihre eigene Leistung im Vergleich dazu? | ☐ | ☐ |
| 5 Wie beurteilt der Autor seine Aussichten, noch etwas Tolles zu leisten? | ☐ | ☐ |

**F3** Ein Einzelfall oder ein allgemeines Problem? Wie beurteilen Sie die im Text beschriebene Situation?
Verwenden Sie im Gespräch auch folgende Wendungen und Ausdrücke.

Das verstehe ich gut.
Ich kann das gut verstehen, weil …
Ich kann total gut verstehen, was der Autor meint.
… Dieses Gefühl kenne ich.
Also, ich finde …

Ich denke, dass …
Ich bin der Meinung, dass …
Ich habe das Gefühl, dass …
Ich bin davon überzeugt, dass …
Meiner Meinung nach …

AB 29–31 → SÄTZE BAUEN

Ist das für Sie Freundschaft?
Sprechen Sie.

## Gute Freunde

**a** Deutsche haben im Durchschnitt 3,3 Freunde.
Wie viele Menschen würden Sie als gute Freunde bezeichnen?

**b** Was tun Sie als „guter Freund"? Markieren Sie.

|  | nie | selten | immer wieder | oft |
|---|---|---|---|---|
| kritisieren |  |  |  |  |
| Komplimente machen |  |  |  |  |
| anrufen |  |  |  |  |
| erzählen, was andere über sie/ihn sagen |  |  |  |  |
| streiten |  |  |  |  |
| etwas verheimlichen |  |  |  |  |
| sich für Hilfe bezahlen lassen |  |  |  |  |
| die Wahrheit sagen, auch wenn sie unangenehm ist |  |  |  |  |
| zuhören |  |  |  |  |
| recht haben wollen |  |  |  |  |
| Geld leihen |  |  |  |  |
| Auto leihen |  |  |  |  |
| gemeinsam etwas unternehmen |  |  |  |  |

## Diskussion: Kriterien einer Freundschaft

**Vor der Diskussion**

**1** Ist das richtig oder falsch? Entscheiden Sie spontan und markieren Sie.  r  f

1 Zu viel Wahrheit verträgt keine Freundschaft. ✓  ☐ ☐
2 Größere Summen sollte man Freunden nur leihen, wenn einem das Geld völlig egal ist. ☐ ☐
3 Freundschaft braucht geografische Nähe. ☐ ☐
4 Männerfreundschaften sind ganz anders als Frauenfreundschaften. ☐ ☐

**2** Arbeiten Sie in Gruppen. Lesen Sie die Aussagen noch einmal und entscheiden Sie,
über welches Thema Sie in Ihrer Gruppe diskutieren möchten.
**3** Bereiten Sie sich nun einzeln auf die Diskussion vor. Sammeln Sie Argumente dafür und dagegen.
Machen Sie sich Notizen.
**4** Machen Sie in Ihrer Gruppe gemeinsam ein Plakat mit allen Wendungen und Ausdrücken
aus dieser Lektion, die Sie in dieser Diskussion verwenden möchten.

**Während der Diskussion**

**5** Tragen Sie Ihre Argumente vor. Reagieren Sie auf die Argumente der anderen.
Verwenden Sie dabei die ausgewählten Wendungen und Ausdrücke.

**Nach der Diskussion**

**6** Überlegen Sie in Ihrer Gruppe gemeinsam: Haben Sie die ausgewählten Wendungen und Ausdrücke
in der Diskussion benutzt?

kontroverse Gespräche mit vertrauten Menschen führen

### Überraschung ausdrücken

Das finde ich erstaunlich.
Das kann doch nicht stimmen.
Das überrascht mich (nicht).
Ich hätte (nicht) gedacht, dass ...
Das ist ja unglaublich.

### Interesse signalisieren

Ist ja ...!
Das hätte ich ja gern mal gesehen!
Du warst bestimmt ..., oder?

### über Statistiken sprechen

53% (53 Prozent) aller Kinder
Jedes zweite ...
... mehr als die Hälfte aller Kinder ...
Ein Viertel der ...
Fast genauso viele (73%) leben noch ...
Dreimal so viele ...
... doppelt so alt wie ...
Zwei von drei ...
... nur 9% von insgesamt 82,5 Millionen ...

### Zustimmung äußern / Aussagen einschränken

Das sehe ich auch so.
Mag ja sein, dass das ..., aber ...
Wir hatten zwar unsere Zweifel, aber ...
Ja schon, aber ...

### Inhalte wiedergeben

Die Erzählung / Der Text / ... handelt von ...
In diesem Text / ... geht es um ...
Es handelt sich hier um ...
Die Erzählerin ...

### Verständnis zeigen

Ich kann das gut verstehen, weil ...
Ich kann total gut verstehen,
   was der Autor meint / du meinst / ...
Das/Dieses Gefühl kenne ich.

### Vermutungen äußern und begründen

Es könnte sein, dass ...
Vermutlich / Eventuell trägt sie den Ring, weil ...
Möglicherweise wegen der Mutter.
Sie trägt ihn aus Trotz.
Ich könnte mir vorstellen, dass ...

### die eigene Meinung äußern

Also, ich finde ...
Ich denke/glaube/meine, dass ...
Ich bin der Meinung, dass ...
Ich habe das Gefühl, dass ...
Ich bin davon überzeugt, dass ...
Meiner Meinung nach ...

Es geht darum, it's about.

# Grammatik

## Kausale Angaben: etwas begründen

**mit den Konjunktionen *weil* und *da***

| | |
|---|---|
| Sie trägt den alten Ring, **weil/da** ihre Großmutter ihn getragen *hat*. | Verb am Ende |

**mit der Präposition *wegen***

| | |
|---|---|
| Sie trägt den alten Ring **wegen** *ihrer Großmutter*.<br>**Wegen** *des Glassteins* ist der Ring wertlos. | gesprochene Sprache: eher Dativ<br>geschriebene Sprache: eher Genitiv |

**mit festem Ausdruck mit der Präposition *aus***

Sie trägt den alten Ring aus Liebe zu ihrer *Großmutter*.
Sie trägt den alten Ring aus Trotz.

## Ergänzungssätze: *dass*-Sätze

**nach Verben des Meinens, Sagens, Hoffens …**

| | | | |
|---|---|---|---|
| Ich habe gesagt,<br>Ich denke auch,<br>Gestern habe ich geträumt,<br>Und jetzt hoffe ich, | **dass** | ich den Ring sehr schön *finde*.<br>er viel wert *ist*.<br>er mich reich *macht*.<br>er mir Glück *bringt*. | Verb am Ende |

**nach festen Ausdrücken**

| | | | |
|---|---|---|---|
| Mich hat **die Tatsache** *erstaunt*,<br>Meine Mutter *war* **der Meinung**,<br>Ich *habe* aber **die Hoffnung**, | **dass** | der Ring nichts wert *ist*.<br>er sehr wertvoll *ist*.<br>er mir Glück *bringt*. | Verb am Ende |

## Konzessive Angaben: etwas einschränken

**mit der Konjunktion *aber***
*Ich kann verstehen*, **dass** viele es unromantisch finden,
im Internet einen Partner zu suchen. **Aber** ich habe so
mein Glück gefunden.

**mit der Konjunktion *zwar … aber***

Viele finden es **zwar** unromantisch, im Internet einen Partner
zu suchen, **aber** ich habe so mein Glück gefunden.

**mit dem festen Ausdruck *mag ja sein, aber … /***
***mag ja sein, dass … , aber …***

▼ Also, ich finde es unromantisch, im Internet
einen Partner zu suchen.
■ **Mag ja sein**, **aber** ich habe so mein Glück gefunden.

**Mag ja sein**, **dass** viele die Partnersuche im Internet
unromantisch finden, **aber** ich habe so mein Glück
gefunden.

## Modale Angaben: etwas vermuten

**mit Adverbien**

**Möglicherweise** wegen der Mutter.
**Eventuell** wegen der Mutter.
**Vermutlich** wegen der Mutter.

# Zeitreisen in die Vergangenheit ...

sind physikalisch leider oder zum Glück – wer weiß? – nicht möglich. Trotzdem erlauben uns Bücher und Zeitschriften in Bibliotheken, Foto- und Bildersammlungen, Zeitzeugenberichte sowie das Internet, Einblicke in die Vergangenheit zu gewinnen. Wofür interessieren Sie sich? Für die 50er-Jahre oder mehr für die 90er? Interessieren Sie sich dafür, was die Menschen im letzten Jahrhundert getragen und gehört haben? Oder eher dafür, welche Filme in den Fünfzigern, Sechzigern, Siebzigern aktuell waren? Suchen Sie sich ein Thema und machen Sie sich auf die „Reise"!

Nachkriegszeit

20er-Jahre

50er-Jahre

Mode          Literatur

80er-Jahre

ohnungseinrichtung

Jahrtausendwende

Musik

## EXPO2000 HANNOVER

**Die Weltausstellung**
1. Juni - 31. Oktober 2000
**in Deutschland**

70er-Jahre

rkehr/Autos

Film

60er-Jahre

++ ein persönliches Erlebnis erzählen +++ ein persönliches Erlebnis erzählen +++ ein persönliches Erlebnis erzählen +++ ein per

in persönliches Erlebnis erzählen +++ **ein persönliches Erlebnis erzählen** +++ ein persönliches Erlebnis erz

+++ ein persönliches Erlebnis erzählen +++ ein persönliches Erlebnis erzählen +++ ein persönliches Erlebnis erzählen +++ ein per

# Faszination

**2**

**C**

**B**

**A**

**E**

**D**

**1** Was finden Sie faszinierend? Sammeln Sie im Kurs.

**2** Passen die Fotos zu Ihren Ideen?

**Lernziel: ein persönliches Erlebnis erzählen**

→ eine Geschichte zusammenhängend erzählen
→ eine Geschichte zusammenhängend schreiben
→ Erfahrungen zusammenhängend beschreiben
→ wirkliche oder ausgedachte Ereignisse erzählen
→ literarische Texte lesen

**Textsorten**

Beiträge im Wochenendmagazin
Bericht ▪ Reisebericht ▪ Gedicht
Liebeslied ▪ Erlebnisbericht
Restaurantkritik

Lesen Sie die Beiträge in einem Wochenendmagazin und entscheiden Sie:
Welches Foto und welche Aussage sprechen Sie am meisten an?

# *verzaubert ...*

## ... die fünf schönsten Einsendungen der Woche

Nachts
die Autos von der
Dachterrasse aus zu
beobachten, das ist
für mich das Tollste.
*Carlo, 16*

> Au ja, der Duft
> von frischen
> Zitronen, der
> begeistert mich
> auch immer
> wieder.

> Was? Also ich
> weiß nicht.

Wenn ich im Mai durch
unsere Straße laufe.
*Mira, 15*

Vom Duft
frischer Zitronen.
*Birgit, 30*

> Nächtlicher
> Straßenverkehr?
> Also damit
> verbinde ich
> ganz was
> anderes.

Der Anblick unseres
Marktes fasziniert
mich immer wieder.
*Jens, 20*

Davon, am Bahnsteig
abgeholt zu werden.
*Kathrin, 22*

Schreiben Sie auch einen Beitrag.

**a** Sprechen Sie zu zweit und machen Sie sich Notizen.

> Mich fasziniert es einfach immer
> wieder, mit einem Flugzeug zu
> starten und immer höher hinauf
> bis über die Wolken zu fliegen.

> Wirklich? Da habe ich eher Angst.
> Letztes Jahr war ich im Wallis.
> Die Landschaft, die Luft, der Himmel
> ...

*mit einem Flugzeug starten
und immer höher hinauf –
bis über die Wolken fliegen*

*Wallis: Landschaft,
Luft, Himmel*

**b** Schreiben Sie Ihre Einsendung an das Wochenendmagazin.
Was ist auf dem Foto, das Sie mitschicken?

# B    Du bist die Größte

## B1    Komplimente

**a**    Sind die folgenden Aussagen Ihrer Ansicht nach Komplimente?

1 „Du bist mein Sommerurlaub auf der Südseeinsel."
2 „Du bist für mich der tollste Mensch der Welt."
3 „Ich liebe dich wie die Nutella auf meinem Frühstücksbrot."
4 „Du bist spannender als jedes Computerspiel."
5 „Du bist genauso schön wie eine Rose."

> Ich glaube, bei uns könnte man so was nicht sagen.

> Bei uns auch nicht. Das ist doch gar kein Kompliment.

> So ein Quatsch, so was kann man doch nicht sagen.

> Warum nicht, wenn man Nutella sehr mag?

**b**    Welches Kompliment macht der Mann der Frau wohl?
Ergänzen Sie zu zweit.

**c**    Sammeln Sie Ihre Vorschläge im Kurs und sortieren Sie:
Welche Komplimente sind – inhaltlich oder sprachlich – ähnlich?

## B2    Ein Liebeslied

**a**    Was passt? Ergänzen Sie. Vergleichen Sie dann Ihre Lösungen zu zweit.

schön ■ Ziel ■ Lösung ■ das Größte ■ Süßwarenabteilung

1 Du bist das ............................... einer langen Reise.

2 Ich wollte dir nur mal eben sagen, dass du ............................... für mich bist.

3 Du bist meine ............................... im Supermarkt.

4 Du bist die ..............................., wenn mal was hakt.

5 Du bist so ..............................., dass man nie darauf verzichten mag.

🔘 1.9
**b**    Hören Sie das Lied und vergleichen Sie mit Ihren Lösungen.

**c**    Dichten Sie Ihre eigenen „Komplimente-Lieder".
Verwenden Sie folgende Wendungen und Ausdrücke.

Du bist mein … ■ Du bist wie die/der … ■ Du bist schöner/… als … ■
Du bist so …, dass … ■ Du bist für mich die/der tollste/… ■
Du bist das Größte / … für mich. ■ Du bist genauso schön/… wie …

● Schreiben Sie ein Kompliment. Knicken Sie das Blatt um.
● Geben Sie das Blatt weiter. Schreiben Sie auf das nächste Blatt
  ein Kompliment und knicken Sie es um usw.
● Lesen Sie dann Ihre „Komplimente-Lieder" vor.

Du bist

---

der tollste
  Mensch
schöner als …
das Größte
GRAMMATIK 1–6

AB 1–8

SÄTZE BAUEN 7/8

# In der Welt des Genießens

**a** Was hat Ihnen mal besonders gut oder gar nicht geschmeckt? Notieren Sie fünf Speisen / Getränke, an die Sie sich sehr gut erinnern.

*leckeres Wiener Schnitzel +*
*Spinat mit Ziegenmilch bei Oma –*
*Bohnen-suppe +*
*das erste Eis in Italien + !*
*Alsterwasser –*

**b** Sprechen Sie zu zweit. Warum haben Sie diese Speise, dieses Getränk ausgewählt?

> Spinat mit Ziegenmilch:
> Das gab's einmal bei meiner Oma.
> Also, ich konnte das nicht
> essen. Das kann niemand essen,
> das werde ich nie vergessen.

> Aber Ziegenkäse
> schmeckt doch super.

> Ja, Ziegenkäse, aber
> Ziegenmilch, das ...

**c** Wie schmecken Ihre Speisen und Getränke? Sammeln Sie im Kurs und ordnen Sie sie folgenden Kategorien zu:

| schlecht | ungewöhnlich | gut/lecker | traumhaft gut | bekannt/vertraut |
|---|---|---|---|---|
| .................. | .................. | .................. | .................. | .................. |
| .................. | .................. | .................. | .................. | .................. |

Lesen Sie den folgenden Textanfang.

**a** Worum geht es wohl im ganzen Text? Was glauben Sie? Sprechen Sie zu zweit.

„Mein großer Hunger muss schuld gewesen sein, dass ich aus Versehen ins falsche Gasthaus ging. Eigentlich wollte ich zu *Essers Gasthaus*, das ich allerdings noch nicht kannte. Nur – ich dachte offensichtlich so sehr
5 ans Essen, dass ich schon auf halber Strecke dachte, angekommen zu sein, und ohne zu zögern oder aufs Namensschild zu achten ins *Eichendorff* stürmte. Aber die Verwechslung hatte sich gelohnt! Das Restaurant machte einen freundlichen Eindruck: Die Einrichtung
10 war in dunklem Holz gehalten und sah einfach, aber trotzdem modern aus. Fast jeder Tisch war besetzt – zu dieser Tageszeit ein eindeutig gutes Zeichen. Aus der Küche kam ein verführerischer Duft, und ich freute mich, so viel Hunger mitgebracht zu haben. Die Kellnerin, die mich an einen kleinen Tisch am Fenster 15 führte, war äußerst sympathisch und freundlich. Sie brachte mir die Karte und lachte fröhlich über meinen Gesichtsausdruck, als ich schlagartig merkte, dass ich im falschen Restaurant gelandet war. Meine Fragen über die verschiedenen Gerichte auf der Karte beant- 20 wortete sie geduldig und mit viel Humor. Sie hatte wirklich ein unglaublich nettes Lächeln. ..."

**b** Worüber spricht der Besucher des Restaurants? Hören Sie und kreuzen Sie an.

☐ über den Service ☐ über die Einrichtung ☐ über die Preise ☐ über die Sauberkeit
☐ über das Essen ☐ über die Küche ☐ über die Getränke ☐ über die Kellnerin

**c** Was glauben Sie, wie nennt man so einen Text? Kreuzen Sie an.

Stadtführer ☐ Restaurantkritik ☐ Restaurantführer ☐ Kochbuch ☐

 1.10

**d** Hören Sie noch einmal und entscheiden Sie:
Haben Sie das gehört? Kreuzen Sie an.

| | ja | nein |
|---|---|---|
| 1 Die Kellnerin war nett und hatte gute Laune. | ☐ | ☐ |
| 2 Im „Eichendorff" bekommt man nur Speisen, die man sonst niemals isst. | ☐ | ☐ |
| 3 Die Kürbissuppe war so fein, fast wie eine Creme. | ☐ | ☐ |
| 4 Die Leber war knusprig gebraten. | ☐ | ☐ |
| 5 Das Schweinefilet war sehr zart. | ☐ | ☐ |
| 6 Das Sauerkraut hatte einen intensiven Geschmack und war gut gewürzt. | ☐ | ☐ |
| 7 Das Linsengericht hatte ein angenehmes Aroma von feinen Gewürzen. | ☐ | ☐ |
| 8 Die beiden Nachspeisen waren viel zu sahnig. | ☐ | ☐ |

**C3 a** Lesen Sie den Text auf Seite 27 und die Texttranskription auf Seite 131
und unterstreichen Sie die Adjektive.

**b** Ordnen Sie die Adjektive den Begriffen zu; manche passen vielleicht
mehrmals, manche vielleicht nur einmal.

AB 9

gedul**dig**
schlagar**tig**
herz**haft**
GRAMMATIK

( Mensch )        ( Duft )        ( Speise )        ( Raum )

*freundlich*                              *frisch*

**c** **1** Eigenschaften kann man verstärken. Was passt? Ergänzen Sie.

unheimlich ■ furchtbar ■ unglaublich ■ schrecklich ■ herrlich

Sie hatte ein ................. nettes Lächeln.

Die Schokoladencreme war ................... sahnig.

unglaublich/
unheimlich/
furchbar nett
GRAMMATIK 1(

AB 10–16

 1.11 **2** Wie formuliert es der Autor?
Hören Sie und vergleichen Sie.

PHONETIK 13
SÄTZE BAUEN 1

**C4** Kennen Sie einen besonderen Menschen, einen besonderen Duft
oder eine besondere Speise? Schreiben Sie wie im Beispiel.

*Also, die Nachspeise, die Inga letzten Samstag
mitgebracht hat, war himmlisch. Sie war
herrlich cremig, dann aber auch fruchtig
und frisch. Einfach unheimlich gut.*

# Fokus Grammatik: Keine Angst vor Adjektiven

**Das Adjektiv im Text.**

**a** Was glauben Sie, welche Form kommt in den folgenden Texten häufiger vor? Kreuzen Sie an.

1 ☐ der **dicke** Narr    (Adjektiv vor dem Nomen.)
2 ☐ Der Narr war **dick**.    (Adjektiv nach *sein, werden, bleiben, finden*)

**b** Lesen Sie die Texte. Ergänzen Sie die Endung, wo es notwendig ist.
Vergleichen Sie dann im Kurs

> **1**
> ... Nun kaufte sich der König den schrecklichst....... Narren der Welt. Hässlich....... war er,
> dünn....... und dick....... zugleich, lang....... und klein....... zugleich, und sein link....... Bein war
> ein O-Bein. Niemand wusste, ob er sprechen konnte und absichtlich nicht sprach oder ob er
> stumm....... war. Sein Blick war böse......., sein Gesicht mürrisch.......; das einzige Liebliche an
> ihm war sein Name: Er hieß Hänschen. Das Grässlichste aber war sein Lachen.
>
> Peter Bichsel

> **2**
> **Wo gibt's in Hamburg Pommes?**
> Ich komme aus dem Ruhrgebiet! Und deshalb brauche ich manchmal eine groß.......
> Portion Pommes mit Mayo und eine gut....... Currywurst. Die hier zu kriegen ist gar nicht so
> einfach........ Entweder ist die Portion Pommes echt viel zu klein....... oder die Currywurst
> verdient den Namen nicht. Daher meine Frage: Kennt jemand eine gut....... Fritten-Bude in
> Hamburg? Egal, wo! Hauptsache, die Pommes sind schön fettig........ .

**c** Stimmt Ihre Vermutung in 1a? Sprechen Sie.

**d** Wie ist es richtig? Kreuzen Sie an.

☐ Im Deutschen muss man das Adjektiv möglichst immer **vor** das Nomen setzen.
☐ Im Deutschen verwendet man häufig Adjektive **nach** *sein, werden, bleiben, finden*.

**a** Lesen Sie die Texte noch einmal. Erinnern Sie sich an die Regeln? Kreuzen Sie an.

Das Adjektiv bekommt

| eine Endung, | keine Endung, | wenn es |
|---|---|---|
| ☐ | ☐ | nach *sein, werden, bleiben, finden* steht. |
| ☐ | ☐ | vor einem Nomen steht. |

**b** Gar nicht so schwer! Drei „goldene" Regeln der Adjektivdeklination, die Ihnen helfen.

1 Vor dem Nomen hat das *Adjektiv* immer eine Endung, mindestens ein -**e**.

2 Das **Signal** ist entweder *am Artikelwort* oder *am Adjektiv*.
de**r** schreckliche Narr    di**e** schreckliche**n** Narren
ein schreckliche**r** Narr    –    schreckliche Narren

3 Die häufigste Adjektivendung ist -**en**:
Ich kenne ein**en** schrecklich**en** Narren.
Mit dies**em** schrecklich**en** Narren will ich nichts zu tun haben.
Schau mal, wie die Nase dies**es** schrecklich**en** Narren aussieht.
Gott sei Dank gibt es nicht noch mehr von dies**en** schrecklich**en** Narren.

**c** Lesen Sie den Text in C2a auf Seite 27 und auf Seite 131 noch einmal.
Achten Sie auf die Adjektive. Sehen Sie, mit den Regeln aus 2 wird
die Sache ganz einfach.

AB 32

# D Schöne Augenblicke

**D1**

A

B

C

D

E

1.12

**a** Hören Sie. Welches Foto passt zu welchem Klangbild?
Ordnen Sie zu und vergleichen Sie.

| Klangbild 1 | Foto .......... |
|---|---|
| Klangbild 2 | Foto .......... |

Wenn ich / ma
(Immer) **Wenn**
ans Meer ko**r**
**soll** man ...

GRAMMATIK 1

**b** Wofür interessieren Sie sich mehr?

● Für die Natur? Dann lesen Sie Text 1 *Das Meer* auf Seite 131 und lösen Sie die Aufgaben.
● Sie sind eher ein Stadtmensch? Dann lesen Sie Text 2 *In Kairo* auf Seite 133
und lösen Sie die Aufgaben.

AB 17–22

WORTSCHATZ
SÄTZE BAUEN

**c** Finden Sie eine Partnerin / einen Partner, die/der den anderen Text
gelesen hat. Sagen Sie ihr/ihm, was in Ihrem Text steht.

**D2** Beschreiben Sie ähnliche Situationen:
„(Immer) Wenn ich/man ...".

kommen ■ fahren ■ sitzen ■ hören ■ denken ...

> Immer wenn ich an die Berge
> denke, möchte ich gleich ...

# Ich trommle plötzlich

**1** Spielen Sie ein Instrument oder haben Sie manchmal davon geträumt, eins zu spielen? Sprechen Sie.

**2 a** Lesen Sie den Titel. Worum könnte es im Text gehen? *lenker über*

## Ich trommle plötzlich

**b** Lesen Sie die Aufgaben. Lesen Sie dann den Text. Was ist richtig? Kreuzen Sie an.
(Es können auch zwei Antworten richtig sein.)

Ich habe nie ernsthaft darüber nachgedacht, Schlagzeug zu lernen. Muss ich jetzt auch nicht mehr, denn Instrument und Unterricht sind zu mir gekommen …
Es begann alles im August, an einem Samstagabend in
5 der Hamburger Party-und-Kunstprojekte-Szene. Im Brandshof, einem Industriegelände im Stadtteil Hammerbrook(lyn), fand das alljährliche Sommerfest statt. Ausstellungen, Performances, Konzerte, Siebdruck und der ganze Kram waren vorbereitet, Freunde aus Berlin
10 angereist. Alle wollten die Nacht zum Tag machen. Es gab jede Menge Musik, vor allem elektronische …
Ich streife also mit meinem Freund so von Installation zu Installation, als wir plötzlich die Punks aus dem Nachbarhaus sehen. Sie hängen ein Transparent aus
15 dem Fenster, irgendwas gegen dekadenten Kunstkram und Kapitalismus, und starten eine Gegenveranstaltung mit eigenen Bands, die Punkrock spielen. Wir gleich hin.
Drinnen ist super Stimmung, die Band spielt eine Mi-
20 schung aus Punk, Chanson und Jazz. Alle Leute gehen mit, der Raum wird immer voller, während draußen die elektronischen Floors um Gäste kämpfen.
Voller Freude interpretieren die Musiker auf Zuruf Klassiker der Musikgeschichte, alle singen mit …
25 eigentlich eine Hippie-Veranstaltung, aber das sagt man hier lieber nicht. … später beginnen wir zu tanzen. Da ist es passiert, aus welchem Grund auch immer. Ich hatte wohl wild gezappelt und dem Schlagzeuger zugelächelt, schon gab er mir die Sticks, und ich fing an zu spielen. Mein Freund griff sich den Bass. Ich weiß 30 nicht, wie das funktionierte, denn weder er noch ich hatten jemals eines dieser Instrumente gespielt. Aber es klappte. Die Menge tanzte, und die anderen Mitglieder der Band schrien zu unserem Sound Texte wie „Ich will leben! Ich will einfach nur leben!". 35
Ich schlug so drauflos. War total begeistert von den verschiedenen Dings und Dongs und Klacks und Klongs, die man mit solch einem Gerät erzeugen kann. Ich gab den Rhythmus vor, mein Freund ging mit dem Bass darauf ein, als hätten wir wochenlang geübt. 40 Jemand packte seine Gitarre aus, und das Ganze artete zu einer riesigen Jam-Session aus. Wir spielten wohl so einige Stunden vor uns hin, bis ich dann irgendwann völlig erschöpft auf einem Sofa zusammensank.
Geweckt wurde ich, als die Party dann endgültig vorbei 45 war: „Hey, danke Leute, das waren genau die Töne, die wir gebraucht haben – danke!" Dann haben sie uns aus ihrer Wohnung geworfen, Punks wollen auch mal ihre Ruhe haben und so. Benommen und glücklich gingen wir nach Hause.

1 a ☐ Die Ich-Erzählerin wollte schon immer gern Schlagzeug spielen.
  b ☐ Es ist ein Zufall, dass die Ich-Erzählerin anfängt Schlagzeug zu spielen.

2 Sie wurde Schlagzeugerin, …
  a ☐ als es in Berlin ein Sommerfest gab.
  b ☐ als sie mit ihrem Freund der Einladung zu einer Punkrockveranstaltung folgte.
  c ☐ als sie das erste Mal Schlagzeugunterricht bekam.
  d ☐ als sie plötzlich am Schlagzeug saß und spielte.

3 Die Erzählerin …
  a ☐ ist ein Naturtalent: Sie kann alle Lieder, die sie einmal gehört hat, fehlerfrei spielen.
  b ☐ spürt den Rhythmus, schlägt einfach auf die Trommeln und improvisiert eine eigene Musik.

4 Der Satz „…. *danke Leute, das waren genau die Töne, die wir gebraucht haben*" bedeutet …
  a ☐ das war die Musik, die die Punks sich vorgestellt haben.
  b ☐ das war genau die Musik, die die Leute immer hören wollen.
  c ☐ das war die Musik, die man jeden Tag hören kann.
  d ☐ das war die Musik, die an diesem Abend genau zu der Stimmung der Party passte.

…, **als** wir plötzlich
… sehen.
GRAMMATIK 23–26

AB 23–31

WORTSCHATZ 27
SÄTZE BAUEN 28
TEXTE BAUEN 29–31

**3** Wie geht die Geschichte weiter? Was glauben Sie?
Sammeln Sie Ihre Vermutungen. Lesen Sie dann den Text auf Seite 130 und vergleichen Sie.

**1 a** Eine Geschichte erzählen. Schreiben Sie den Text im Präteritum. Vergleichen Sie dann im Kurs.

Diesmal wird es eine regelrechte Weihnachtsgeschichte. Eigentlich (wollen) ............... ich sie schon vor zwei Jahren schreiben; und dann, ganz bestimmt, im vorigen Jahr. Aber wie das so ist, es (kommen) ................ immer etwas dazwischen. Bis meine Mutter neulich (sagen) ...............: „Wenn du sie heuer nicht schreibst, kriegst du nichts zu Weihnachten."

Damit (sein) .............. alles entschieden. Ich (packen) .............. schleunigst meine Koffer, (legen) .............. den Tennisschläger, den Badeanzug, den grünen Bleistift und furchtbar viel Schreibpapier hinein und (fragen) ..............., als wir schwitzend und abgehetzt in der Bahnhofshalle (stehen) ...............: „Und wohin nun?" [...] Frauen sind praktisch. Meine Mutter (wissen) .............. Rat. Sie (treten) .............. an den Fahrkartenschalter, (nicken) .............. dem Beamten freundlich zu und (fragen) ...............: „Entschuldigen Sie, wo liegt im August Schnee?" „Am Nordpol", (wollen) ............... der Mann erst sagen, dann aber (erkennen) .............. er meine Mutter, (unterdrücken) ............... seine vorlaute Bemerkung und (meinen) .............. höflich: „Auf der Zugspitze, Frau Kästner."

*Erich Kästner*

**b** Schreiben Sie den folgenden Text im Perfekt. Vergleichen Sie dann im Kurs.

Früher einmal, vor vielen Jahren, (wissen) ............... ich meistens ..............., was Dich bedrückt. Weil Du mir viel von Dir (erzählen) ............... ..............., liebe Tochter. Du (ausweinen) ............... Dich immer bei mir ............... . Und ich (trösten) .............. Dich, so gut ich es eben konnte, ............... . Aber das (ändern) ............... sich im Laufe der Jahre ............... .

*Christine Nöstlinger*

**1.13/14**

**c** Lesen Sie die Texte nun Ihrer Lernpartnerin / Ihrem Lernpartner vor. Hören Sie dann die Texte.

**2 a** Perfekt oder Präteritum? Ihre Erfahrung ist gefragt. Was verwenden Sie im Folgenden *eher*? Kreuzen Sie an.

|  | Perfekt | Präteritum |
|---|---|---|
| mündlich von einem Erlebnis erzählen |  |  |
| schriftlich von einem Erlebnis erzählen |  |  |
| Verben *haben* und *sein* |  |  |
| Verben *wollen, müssen, dürfen, sollen* |  |  |

**b** Wo **erwarten** Sie folgende Zeitformen *eher*? Kreuzen Sie an.

|  | Perfekt | Präteritum |
|---|---|---|
| in Fachtexten / Sachtexten / Lexikoneinträgen |  |  |
| in Zeitungstexten |  |  |
| in Gesprächen / Diskussionen |  |  |
| im persönlichen Brief |  |  |
| im Märchen |  |  |

**c** Lesen Sie nun die beiden Texte in 1 noch einmal und ergänzen Sie:
*Perfekt* oder *Präteritum*.

Text

1 Die Autorin/Der Autor verwendet das ............, weil er/sie im Stil eines persönlichen Briefes schreibt. ☐

2 Die Autorin/Der Autor verwendet das ............, weil in der Anrede *du* und *ihr* das Präteritum nicht so üblich ist. ☐

3 Die Autorin/Der Autor verwendet das ............, als „normale" Zeitform in geschriebenen Erzählungen. ☐

**3 a** Lesen Sie nun den Text *Ich trommle plötzlich* auf Seite 31 noch einmal.
Sie finden dort viele Zeitformen, weil
die Autorin die Zeitformen falsch verwendet. ☐
man im Deutschen als Autor stilistische Freiheiten hat. ☐

**b** Im Deutschen kann man die Zeitformen beim Erzählen wechseln, wenn eine neue Situation beginnt, etwas besonders interessant wird, man eine Situation hervorheben möchte.
Dafür gibt es keine festen Regeln.
Die Autorin verwendet in ihrem Text nicht nur Zeitformen der Vergangenheit, sondern auch das Präsens (Zeile 12–26). Wie ist das in Ihrer Muttersprache? AB 33

# Ihr persönliches Erlebnis

**1** Wählen Sie ein Erlebnis, das Ihnen als ganz besonders schön, beeindruckend, faszinierend in Erinnerung geblieben ist. Machen Sie sich zu diesem Erlebnis Notizen. Haben Sie auch ein Foto?

Erlebnis:

Wer?

Wo?

Wann?

Was?

Was passierte?

Was passierte dann?

Danach?

Wie war das Ende?

**2** Partnerinterview: Erzählen Sie Ihre Geschichte.

**A**
Sie möchten die Geschichte Ihrer Partnerin / Ihres Partners hören. Helfen Sie ihr/ihm mit Fragen, wenn sie/er den Faden verliert.

**B**
Sie wollen Ihre Geschichte erzählen. Denken Sie daran, was Sie gelernt haben. Gestalten Sie Ihre Geschichte möglichst interessant / spannend.

**3** Beitrag in einem Wochenendmagazin

**a** Ein Wochenendmagazin bittet Sie, Ihr Erlebnis als längeren Text (circa 150 bis 200 Wörter) an die Redaktion zu schicken.
Schreiben Sie Ihr persönliches Erlebnis auf. Gestalten Sie es möglichst interessant und spannend. Denken Sie daran, was Sie in der Lektion gelernt haben (Adjektive, Zeitformen, *als* und *wenn*).

**b** Ihre Partnerin / Ihr Partner liest die Geschichte und markiert Fehler oder Stellen, die sie/er nicht versteht.
Sie/Er unterstreicht Stellen, die ihr/ihm besonders gut gefallen.

**c** Überarbeiten Sie dann Ihren Text.

ein persönliches Erlebnis erzählen

### Vergleiche formulieren

Du bist mein …
Du bist schöner als die schönste Blume.
Du bist für mich der tollste Mensch der Welt.
Du bist genauso schön wie eine Rose.
Ich liebe dich wie die Nutella auf meinem Frühstücksbrot.
Du bist so schön, dass …
Du bist für mich die …
Du bist das Größte für mich.

### etwas / jemanden beschreiben

ein herzhaftes Sauerkraut
die cremige Kürbissuppe
ein nettes Lächeln

### Eigenschaften besonders hervorheben, verstärken

Sie hatte wirklich ein unglaublich nettes Lächeln.

### erzählen/berichten

*über etwas Wiederkehrendes:*
Immer wenn man ans Meer kommt, dann …
Wenn ich auf meiner Terrasse stehe, …

*über etwas Einmaliges:*
Als wir plötzlich die Punks … sehen.
… als die Party endgültig vorbei war.

## Adjektive

### Verwendung

| | |
|---|---|
| **prädikativ**<br>Die Natur **ist** wirklich **schön** hier.<br>Hoffentlich **bleibt** das Wetter so **gut**.<br>Vielleicht **wird** es ja sogar noch **besser**.<br>Dann **finde** ich alles **wunderbar**. | bei *sein, werden, bleiben* und *finden* ohne Endung |
| **attributiv**<br>Schau mal, die **schöne** Natur und die **leuchtenden** Farben. | vor dem Nomen, mit Endung |
| **als Adverb**<br>Hast du auch so **gut** geschlafen? | ohne Endung |

### Steigerung

Hier ist es viel **schöner als** bei uns.
Aber **am schönsten** ist es in ..., da scheint immer die Sonne.
Ein **tolleres** Land kannst du dir nicht vorstellen.
Da gibt es auch die **tollsten** Leute.

### Nominalisierung

Das **Tollste** ist, dass dort immer die Sonne scheint.
Ich bin nur mit dem **Besten** zufrieden.

## Wortbildung: Adjektiv

### mit Suffixen, aus Nomen

| | | |
|---|---|---|
| **-ig:** | geduldig | (die Geduld) |
| **-lich:** | absichtlich | (die Absicht) |
| **-artig:** | schlagartig | (der Schlag) |
| **-isch:** | himmlisch | (der Himmel) |
| **-haft:** | herzhaft | (das Herz) |

## Graduierung

ein **unglaublich** / **unheimlich** / **furchtbar** nettes Lächeln
**herrlich** sahnig

## temporale Angaben mit *wenn, immer wenn, als*

| | |
|---|---|
| **Wenn** man ans Meer *kommt*, soll man den Alltag vergessen. | Wiederholung |
| **Immer wenn** ich ans Meer gefahren bin, hat es geregnet. | |
| **Als** ich zum ersten Mal ans Meer *gefahren bin*, war ich ganz aufgeregt. | passiert einmal |

## Zeitformen (Vergangenheit)

| | |
|---|---|
| Sie **hat** die Sticks in die Hand **genommen**<br>  und **hat getrommelt**. | Perfekt: Erzählung, klingt mündlich |
| Sie **nahm** die Sticks in die Hand und **trommelte**.<br>Drinnen **ist** super Stimmung, die Band **spielt**<br>  eine Mischung aus Punk und Jazz. | Präteritum: Erzählung, klingt schriftlich<br>Präsens: Beschreibung einer Situation<br>in der Vergangenheit |
| Er schenkte mir ein Schlagzeug. Er **hatte** am Abend<br>  vorher in der Kneipe **gesehen**, wie ich gespielt habe. | Plusquamperfekt: Vergangenheit in<br>der Vergangenheit |

**„Es war einmal ..."**

Jede Sprache hat ihre Märchen. Viele sind in den letzten Jahrhunderten gesammelt und aufgeschrieben worden, viele werden noch immer mündlich überliefert. Andere Märchen werden von Autoren frei erfunden, von vielen Menschen gelesen und weitererzählt. Manchmal weiß man eigentlich gar nicht mehr, woher ein Märchen stammt. Manche kommen auch aus anderen Ländern, denn viele der Märchen werden in andere Sprachen übersetzt: So gibt es die Volksmärchen der Brüder Grimm in über 160 Sprachen (www.grimms.de). Haben Sie sie als Kind gelesen?

Wilhelm Hauff dagegen hat seine Märchen frei erfunden, beeinflusst wurde er dabei stark von orientalischen Märchen. Kennen Sie Wilhelm Hauff und die Brüder Grimm? Kennen Sie die hier dargestellten Märchen? Welche Märchen kennen Sie noch?

**Brüder Grimm**

**Jacob Ludwig Karl Grimm**
geb. am 4.1.1785 in Hanau,
gest. am 20.9.1863 in Berlin

**Wilhelm Karl Grimm**
geb. am 24.2.1786 in Hanau,
gest. am 16.12.1859
in Berlin

Hänsel und Gretel

Der Froschkönig

Rotkäppchen

Aschenputtel

Zwerg Nase

**Wilhelm Hauff**
geb. am 29. November 1802
in Stuttgart,
gest. am 18. November 1827
ebenda

# Vertrautes

**C**

**B**

**A**

**F**

**E**

**D**

| 1 | Was sind für Sie vertraute Dinge oder Situationen? |
|---|---|
| 2 | Welche Fotos haben aus Ihrer Sicht etwas mit dem Titel zu tun? |

**Lernziel: persönliche Erfahrungen
und Empfindungen beschreiben**

→ Gedanken, Gefühle und Empfindungen beschreiben
→ über persönliche Erfahrungen berichten
→ gefühlsbezogene Erfahrungen und Berichte anderer verstehen
→ Probleme mit unbekannten, fremden Dingen beschreiben
→ Empfindungswörter verstehen und darauf reagieren

**Textsorten**

Literarischer Text ■ Sachtext ■
Erfahrungsberichte ■ Straßeninterview ■
Gespräche ■ Gedicht

# Ich sehe was, was du nicht siehst!    SPRECHEN    **A**

**Sehen Sie die Bilder an und beantworten Sie die Fragen.**

1 Was sehen Sie auf Bild A?
2 Welche Person auf Bild B ist größer?
3 Verlaufen die waagerechten Linien auf Bild C parallel?

A
© Moses Verlag, Pocket-Quiz, Optische Illusion, Teil 1, 2001

B

C

**a** Sammeln Sie Ihre Antworten im Kurs. Welche sind die häufigsten?

**b** Vergleichen Sie zu zweit Ihre Ergebnisse mit den Lösungen auf Seite 135. Sprechen Sie. Verwenden Sie auch folgende Wendungen und Ausdrücke.

Ich war ganz sicher, dass das auf Bild A … ◼ Ich habe mich auch geirrt, weil ich dachte, dass das … ◼
Ich habe gleich gesehen, dass … ◼ Ich habe … überhaupt nicht gesehen. Kaum zu glauben. ◼
Ja, ich hätte auch nicht gedacht, dass … ◼ Aber auf Bild … sieht es doch so aus, als ob … wäre.

# „Was der Bauer nicht kennt, das frisst er nicht"    SPRECHEN    **B**

**a** Was denkt der Mann wohl? Ergänzen Sie die Gedankenblasen und vergleichen Sie im Kurs.

A

B

**b** „Was der Bauer nicht kennt, das frisst er nicht." Dies ist ein bekanntes deutsches Sprichwort. Zu welchem Bild in a passt es?

Beschreiben Sie die Situationen, in denen sich der Mann auf Bild A und auf Bild B befindet. Verwenden Sie folgende Wendungen und Ausdrücke sowie die Wörter.

eklig ◼ furchtbar ◼ fremd ◼ unbekannt ◼ ungewohnt ◼ seltsam ◼
merkwürdig ◼ vertraut ◼ lecker ◼ bekannt ◼ gewohnt ◼ normal     AB 1–8

WORTSCHATZ 1–4
SÄTZE BAUEN 5–7
PHONETIK 8

Das ist ihm fremd / … ◼ Das ist für ihn ungewohnt / … ◼ Für ihn ist das … ◼
Das findet er furchtbar / eklig / … ◼ Er findet es seltsam / wunderbar, … zu essen. ◼
Er ist es (nicht) gewohnt, … zu … ◼ Er ist sich nicht sicher, ob …

**a** Welche landestypische Speise könnte einem Fremden an Ihrem Wohnort / in Ihrer Heimat fremd sein? Was könnte er beim Anblick dieser Speise empfinden? Sprechen Sie.

**b** Gibt es ähnliche Sprichwörter in Ihrer Sprache? Erzählen Sie.

# C Feste feiern

**C1** Feste feiert jeder gern. Welche Feste erkennen Sie auf den Fotos? Sprechen Sie.
Verwenden Sie auch folgende Wendungen und Ausdrücke.

Das ist garantiert / ganz bestimmt / ... ▪
Ich bin ganz sicher, dass ... ▪ Das ist auf keinen / jeden Fall ... ▪
Das ist sicher ..., das sieht man an ... ▪ Hier geht es sicher um ...

AB 9 → WORTSCHATZ

┌─────────────────────────┐
│ Das ist doch            │
│ garantiert Weihnachten. │
└─────────────────────────┘

┌─────────────────────┐
│ Nein. Bild ... ist  │
│ auf keinen Fall ... │
└─────────────────────┘

Das ist sicher .
das sieht ma
Hier geht es
sicher um ...
GRAMMATIK 1◀

**C2** **a** Sehen Sie die Fotos eines Sankt-Martins-Festes an.
Was passiert da? Was glauben Sie? Verwenden Sie auch die Wendungen
und Ausdrücke aus C1.

AB 10–16 →

SÄTZE BAUEN
PHONETIK 16

Als wir aus unserem materialistischen Vaterland in das romantische Deutschland auswanderten, hatten wir keine Ahnung von den hiesigen religiösen Sitten und Festen. Jedes Jahr im November zogen große
5 Kindergartengruppen und Grundschulabsolventen in Begleitung ihrer Eltern mit brennenden Laternen singend an unseren Fenstern vorbei. Der Umzug endete jedes Mal an einem Kinderspielplatz, wo die Erwachsenen dann Würste aßen und Glühwein tran-
ken, während die Kinder ihre Laternen auseinander- 10 nahmen, um zu gucken, wie sie funktionierten. „Bald ist Sankt Martin", hieß es Anfang November im Kindergarten, also mussten die Kinder Laternen basteln und die Eltern Würste einkaufen. Wer dieser Sankt Martin eigentlich war, fragten wir nicht. Wahrschein- 15 lich ein Prediger, der sich für das Laternentragen und Würsteessen schon im Mittelalter eingesetzt hatte. Seine Botschaft wurde offensichtlich von der ...

.19

**b** Hören Sie und lesen Sie (Text C2a, Seite 40), wie der aus Russland stammende
Wladimir Kaminer dieses Fest in Deutschland erlebt hat, und lösen Sie die Aufgaben.

**1** Was passiert laut Kaminer auf dem Fest? Sprechen Sie.

**2** Als was beschreibt Kaminer dieses Fest? Kreuzen Sie an.

☐ Als ein Fest, das ihm vertraut ist und dessen Geschichte er kennt.

☐ Als ein Fest, das er beobachtet, das er aber nicht ganz versteht.

☐ Als ein Fest, von dem er schon viel gehört hat, das er aber hier zum ersten Mal sieht.

**3** Wie würden Sie Kaminers Position im Text charakterisieren?
Ergänzen Sie und vergleichen Sie dann.

a Er weiß eigentlich nicht, warum *das Fest gefeiert wird* ...............................

b Er hat wahrscheinlich nie gehört, wer .........................................................

c Er hat nur beobachtet, dass .......................................................................

d Er glaubt offensichtlich, dass ....................................................................

e Das Fest kommt ihm komisch vor, weil ......................................................

f Eigentlich interessiert er sich überhaupt nicht für ......................................

> Er weiß nicht,
> **warum** ...
> Er hat nie gehört,
> **wer** ...
> GRAMMATIK 17, 18
>
> AB 17–20
>
> SÄTZE BAUEN 19, 20

'0–24

**a** Hören Sie, wie das Sankt-Martins-Fest von Teilnehmern beschrieben wird.
Ergänzen Sie die Tabelle (auf einem Blatt oder im Heft).

| Wer feiert? | Wann wird gefeiert? | Wie wird gefeiert? | Warum wird gefeiert? | Weitere Informationen |
|---|---|---|---|---|
| | | | | |

**b** Wie haben Sie das Fest zuerst verstanden? Wie sehen Sie es jetzt?
Verwenden Sie auch die folgenden Wendungen und Ausdrücke.

Ich wusste / Wir wussten (eigentlich nicht), wer/warum ... ■ Ich hatte / Wir hatten nie gehört,
dass ... ■ Ich habe / Wir haben auf den Fotos gesehen, dass ... ■ Ich meinte / Wir meinten, dass ... ■
Es kam mir/uns komisch vor, dass ... ■ Ich habe / Wir haben geglaubt, dass ...

Wie ist das in ...? Wählen Sie eine der beiden Aufgaben.

**A**

Eine Person besucht Ihr Heimatland.
Beschreiben Sie dieser Person ein Fest,
das ihr fremd vorkommen könnte.

**B**

Eine Person aus Ihrem Heimatland besucht Sie in
einem deutschsprachigen Land. Beschreiben Sie dieser
Person ein Fest, das ihr fremd vorkommen könnte.

Sprechen Sie darüber, ...

– wie das Fest heißt und wann es gefeiert wird.
– wie es gefeiert wird.
– warum es gefeiert wird.
– ob, wie und wann Sie daran teilgenommen haben.
– wie Sie das Fest persönlich empfinden.
– wie ein Fremder dieses Fest sehen könnte.

# Fokus Grammatik:
# obligatorisches *es* und Demonstrativpronomen *das* im Kontext

**1** Personalpronomen im Text.

**a** Lesen Sie die Texte A und B. Lösen Sie dann Aufgabe b.

> **A** Julia: Du, ich glaube, Michael will wieder heiraten. Zumindest hat er gesagt, dass er uns einladen möchte, und es wäre ganz wichtig, und ...
> Robert: Das ist doch unglaublich, erst seit zwei Wochen geschieden und nun will er schon wieder heiraten! Jetzt mal im Ernst, wie findest du das denn?!
> Julia: Ach weißt du, mir ist das total egal, und, weißt du was, eigentlich geht es uns doch überhaupt nichts an.

> **B** ... Eines Tages nach Weihnachten sagte meine Mutter zu mir: Wenn das Frühjahr kommt, musst du in die Schule. ...
> Ich war sehr bestürzt*, als mir die Eröffnung gemacht wurde. ... Meine Eltern mussten doch wissen, was sie mir antaten. ... sie befürworteten**, dass man mich in ein Zimmer sperrte, mich, der nur in freier Luft und freier Bewegung zu leben fähig war ... Der erste Schultag kam heran. Der erste Gang zur Schule, den ich ... unter Furcht und Zagen*** zurücklegte. Es schien mir damals ein unendlich langer Weg ... Es gab eine kurze Wartezeit, in der sich die kleinen Leidensgenossen ... miteinander bekannt machten.
> * schockiert   ** waren dafür   *** mit großer Angst                      *Gerhart Hauptmann*

**b** Welche Funktion haben die Personalpronomen in diesen Texten? Kreuzen Sie an.

|  | persönlich (beziehen sich auf eine Person) | unpersönlich |
|---|---|---|
| *ich, du, er, sie, mir, mich, ...* | ☐ | ☐ |
| *es* | ☐ | ☐ |

**2** Hören Sie und markieren Sie die Demonstrativpronomen.

1 Mit dem will ich wirklich nie wieder was zu tun haben.
2 Morgen gehe ich mit den Kindern schwimmen. Die freuen sich schon wahnsinnig.
3 Das Telefon! Das ist garantiert deine Schwester.
4 Guck mal die Frau da. – Welche? – Na, die da! Hat die nicht irre Schuhe an?
5 Schon wieder zum Chef. Ich sag es dir, im Ernst, so geht das nicht mehr weiter.

**3 a** *es* und *das* im Kontext. Lesen Sie die Sätze 1–4 und lösen Sie dann Aufgabe b.

1 Jetzt hör mir mal zu, hier geht es doch um ganz was anderes. Hier geht es um uns!
2 Es brennt! Da drüben, schau mal. Das müssen wir sofort melden!
3 Es scheint so zu sein, dass die Westeuropäer immer weniger Kinder bekommen.
4 Die Meiers werden verhaftet! Das kann doch nicht wahr sein! Das glaube ich einfach nicht. Die waren doch immer so nett zu unseren Kindern.

**b** *es* oder *das*? Was trifft zu?

| *es* | *das* | |
|---|---|---|
| ☐ | ☐ | ist obligatorisch, gehört also fest zu einem Ausdruck. |
| ☐ | ☐ | bezieht sich auf etwas, was bereits gesagt wurde. |
| ☐ | ☐ | kann stark betont sein. |
| ☐ | ☐ | gehört zu einem festen Ausdruck, der eine neue Information einleitet. |

**c** Lesen Sie die Sätze 5–9. Ergänzen Sie *es* oder *das*. Vergleichen Sie dann.

5 Gibt ............ noch irgendwas, was ich für dich tun kann?

6 Hier in der Zeitung steht ............ schwarz auf weiß: Die Mehrwertsteuer wird erhöht.

   Aber ............ kommt noch dicker: Strom wird teurer, Gas wird teurer, Heizen wird teurer.

7 ............ war einmal ein Mann, der hatte eine Tochter, die hieß die kluge Else.

8 ◆ Glaubst du, ............ war richtig, ihn so einfach gehen zu lassen, ohne Geld, ohne Essen?

   ▼ Fang nicht schon wieder damit an. ............ war das Einzige, was wir tun konnten.

9 Acht Prozent mehr Lohn! ............ ist ein großer Erfolg für die Gewerkschaft.                      AB 33

42   Vertrautes | LEKTION ❸

# Fokus Grammatik: indirekte Fragesätze im Kontext

**a** Im Text fehlen einige Wörter. Lesen Sie den Text und lösen Sie dann die Aufgabe b.

## Sankt Martin

1 .............. ritt durch Schnee und Wind, sein Ross*, das trug ihn fort geschwind.
Sankt Martin ritt mit leichtem Mut,

2 .............. deckt ihn warm und gut.

3 .............. da saß ein armer Mann, hatt' Kleider nicht, hatt' Lumpen an:
[ ... ] Sankt Martin zieht die Zügel an,

4 das Ross steht .............. beim braven Mann.

5 Sankt Martin .............. teilt den warmen Mantel unverweilt*.

6 Sankt Martin gibt den halben still, der Bettler rasch .............. danken will.
Sankt Martin aber ritt in Eil hinweg mit seinem Mantelteil. Volkslied aus dem Rheinland

\* = das Pferd
\* = sofort

**b** Welches Fragewort passt? Lesen Sie die Fragen zu den Lücken
und ergänzen Sie das Fragewort.

Wer ▪ Was ▪ Womit ▪ Wem ▪ Wo

1 *Wer*...... ritt durch Schnee und Wind?     4 ............. steht das Pferd?

2 ............. deckt ihn warm und gut?     5 ............. teilt Sankt Martin den warmen Mantel?

3 ............. saß ein armer Mann?     6 ............. will der Bettler rasch danken?

**c** Schreiben Sie Sätze wie im Beispiel.

Ich möchte wissen, ... ▪ Ich weiß nicht, ... ▪ Man kann nicht sehen, ... ▪ Ich verstehe nicht, ...

*Ich möchte wissen, wer durch Schnee und Wind ritt.*

26

**d** Hören Sie jetzt das Lied und ergänzen Sie die fehlenden Wörter im Text.

Lesen Sie noch einmal Ihre Sätze in 1c. Was ist richtig? Kreuzen Sie an.

1 Die indirekte Frage ☐ ist ein Nebensatz. ☐ ist ein Hauptsatz.
2 Eine indirekte W-Frage fängt mit ☐ ob ☐ einem Fragewort an.
3 Eine indirekte Ja/Nein-Frage fängt mit ☐ ob ☐ einem Fragewort an.
4 Wenn die indirekte Frage mit einer Aussage eingeleitet wird, steht hinter der indirekten Frage
☐ ein Fragezeichen. ☐ ein Punkt.

Was denkt die Frau? Ergänzen Sie wie im Beispiel.

Soll ich die neue
Stelle annehmen?

Soll ich Udo heiraten?

Will ich wirklich eine Familie?

Soll ich mir eine neue
Wohnung suchen oder nicht?

Soll ich die Bewerbung für die
Projektleitung in China wegschicken?

Soll ich meinen Geburtstag feiern?
Und wenn ja, wo? Hier bei mir zu Hause
oder doch lieber in einem Restaurant?

Geht die mir auf die Nerven! Kann die nicht einmal sagen,
was Sache ist? Kann sie sich nicht einmal entscheiden?
Nein! Sie weiß einfach nicht, *ob sie die neue Stelle annehmen soll.*

AB 34

# D Alles wie immer

**D1** **a** Gibt es in Ihrem Leben Ereignisse oder Handlungen, die immer gleich ablaufen?

> Ich lese beim Essen immer die Zeitung.

> Zum Einschlafen höre ich Musik.

AB 21, 22

... **beim** Essen
... **zum** Einschl...
GRAMMATIK

**b** Wie nennt man so eine vertraute Handlung im Alltag? Kreuzen Sie an.

☐ Ritual ☐ Sitte ☐ Tick

**D2** **a** Lesen Sie den Text und entscheiden Sie: Welche der folgenden Gedanken passen zu dem Text? Kreuzen Sie an.

„Nur mein Anrufbeantworter geht ran. Es ist 9.10 Uhr. Kein Wunder, dass man mich jetzt nicht erreichen kann: Um diese Zeit ist es sinnlos, mich anzurufen – denn von 9.00 bis 9.15 Uhr nehme ich mir jeden Tag meine „Espresso"-Pause auf dem Balkon, die ist mir heilig." Wer hier „Immer der gleiche Trott!" stöhnt, liegt falsch: Rituale wie dieses dürfen auch ganz bewusst Langeweile herstellen, damit „es in uns denken" kann. (...) Denn Rituale geben dem Augenblick eine Bedeutung, sie heben ihn aus dem Alltag heraus, machen genau diesen Moment wichtig. Jedes hat einen Anfang, einen detaillierten Verlauf und ein klares Ende. Die Welt kommt darin für eine begrenzte Zeit zur Ruhe – und wir in ihr. Rituale sind Momente des Sich-Ausklinkens und der Konzentration. Die vertrauten Abläufe können Sicherheit und Geborgenheit geben (...).

**1** ☐
Wunderbar ist dieser Augenblick, in dem ich mich auf mich selbst konzentrieren kann.

**2** ☐
Diese Zwangspause ist kaum auszuhalten – drinnen läutet das Telefon, hier draußen soll ich mich ausklinken. Welch eine Illusion!

**3** ☐
Dieser Augenblick der inneren Ruhe, der totalen Entspannung: Da gibt's dann nichts mehr, was mich an diesem Tag noch aus der Ruhe bringen könnte.

**4** ☐
Bewusste Langeweile zur Entspannung! Wenn sich doch wenigstens auf der Straße was tun würde. Immer wieder der gleiche Blick. Und ausgerechnet das soll mich aus dem Einerlei des Alltags herausheben?

**b** Was ist richtig? Kreuzen Sie an.

**1** Die Autorin ist zwischen 9.00 und 9.15 nicht erreichbar, da
☐ sie sich in dieser Viertelstunde gezielt auf die Aufgaben des Tages vorbereitet.
☐ sie sich eine Viertelstunde der ganz persönlichen Entspannung gönnt.

**2** Rituale ...
☐ dürfen bewusst einen Moment der Langeweile erzeugen.
☐ sind ein bewusster Schritt gegen die Langeweile.

**3** Wie sind Rituale in unserem hektischen Alltag zu beurteilen?
☐ Sie sind Augenblicke der Ruhe und der Konzentration.
☐ Sie sind Augenblicke des Alltags, in denen sich alles auf ein Problem konzentriert.

AB 23

Momente **der** Konzentratio...
Augenblicke d...
Alltags
GRAMMATIK

**D3** Mit welchen Ritualen leben Sie? Und warum? Machen Sie sich Notizen und sprechen Sie zu zweit.

> Welche Rituale gibt es in deinem Alltag?

> Wenn ich ins Büro komme, ...

*im Büro*
*Kanne Tee und Blumen gießen:*
*in Ruhe mit der Arbeit anfangen*
*→ Computer anmachen*

# Mein neues Leben

„Aller Anfang ist schwer." – So lautet ein bekanntes Sprichwort.
Was bedeutet es? Sprechen Sie im Kurs.

27–32

**a** Fünf Menschen, fünf Neuanfänge. Hören Sie, was für diese Menschen in ihrem Leben
neu ist, und ordnen Sie zu (nicht alle Begriffe passen).

Friederike F., 20 J.  |  K. Behrend, 24 J.  |  Kristin M., 29 J.  |  Monika K., 26 J.  |  Max R., 19 J.

☐ neues Hobby ☒ fremde Stadt ☐ Organisation des Alltags ☐ keine Freunde ☐ erster Arbeitsplatz

☐ Heirat ☐ passende Kleidung ☐ neuer Name ☐ Umzug aufs Land ☐ Geburt eines Kindes

☐ Ernährungsplan ☐ Lebensmittel-Unverträglichkeit ☐ Studienbeginn

27–32

**b** Hören Sie noch einmal. Welche Wendungen passen zu welcher Person?
Ordnen Sie zu. Es können mehrere Begriffe passen.

sich einsam fühlen ..A.. unsicher sein ....... etwas als fremd empfinden ....... jemandem vertraut sein .......

für jemanden ungewohnt sein ....... überrascht reagieren ....... sich unsicher fühlen .......

etwas als unangenehm empfinden ....... jemandem peinlich sein ....... gewohnt sein .......

schockiert sein ....... sich heimisch fühlen .......          AB 24        WORTSCHATZ

**a** Haben Sie schon einmal einen ähnlichen Neuanfang erlebt? Welchen?
Kreuzen Sie an und machen Sie Notizen.

☐ neue Umgebung

☐ neuer Ausbildungsabschnitt / Berufswechsel

☐ neuer Lebensabschnitt (Familiengründung / ...)

☐ Umstellung der Lebensgewohnheiten (z. B. Essen, Sport ...)

☐ ......................................................................................

**b** Sprechen Sie zu zweit.
Verwenden Sie auch folgende Wendungen und Ausdrücke.

Was hat sich in Ihrem Leben geändert? ▪
Wie war das für Sie am Anfang / zum Schluss? ▪
Was war für Sie zuerst besonders schön / schwierig / lustig / ungewohnt / peinlich? ▪          Zeitangaben
Wie lange hat es gedauert, bis Sie mit Ihrem neuen Leben vertraut waren? ▪          GRAMMATIK 25–28
Wie geht es Ihnen jetzt / inzwischen / seit ... / seither? ▪
Wie war das für Sie nach ...? ▪ Vor zwei Jahren, da habe ich ... ▪          AB 25–30
Die ersten paar Tage / Wochen habe ich immer ... ▪
Nach und nach ging es besser ...          SÄTZE BAUEN 29, 30

> Mein Neuanfang war vor zwei Jahren,
> da habe ich geheiratet. Die ersten
> paar Wochen habe ich immer ...

> Ich gehe seit sechs Wochen
> alle zwei bis drei Tage
> joggen. Seitdem ...

# F  Oje!

**F1**   Was drücken die Personen mit ihren Ausrufen aus? Ordnen Sie zu.

1   Die Person findet etwas eklig.
2   Die Person findet eine Idee gut.
3   Der Person schmeckt etwas.
4   Die Person findet etwas unglaublich.
5   Die Person ist negativ überrascht.

| Bild | A | B | C | D | E |
|------|---|---|---|---|---|
| Reaktion | | | | | |

🔘 1.33

**F2**   Lesen Sie zuerst die Aufgabe.
Hören Sie dann und überlegen Sie: Was möchte der Sprecher ausdrücken?
Tragen Sie die Bedeutungen ein und vergleichen Sie Ihre Ergebnisse zu zweit.
(Achtung: Zwei Bedeutungen passen zweimal.)

| Text | | | Bedeutung |
|------|------|------|-----------|
| 1 | na ja | g | a „Das hatte ich ganz vergessen!" |
| 2 | na ja | | b „Da bin ich nicht so sicher." |
| 3 | na ja | c | c „Es war nicht so toll." |
| 4 | hm | | d „Das glaube ich nicht." |
| 5 | hm | | e „Jetzt verstehe ich das endlich!" |
| 6 | hm | | f „Das verstehe ich nicht." |
| 7 | ach ja | | g „Ist nicht so schlimm." |
| 8 | ach ja | | h „Das schmeckt super!" |
| 9 | aha | | |
| 10 | aha | | |

SÄTZE BAUEN 3
AB 31, 32   PHONETIK 32

🔘 1.34

**F3** **a**   Hören Sie das Gedicht.
**b**   Hören Sie noch einmal und lesen Sie mit (Seite 134). Was bedeuten die Empfindungswörter?
Suchen Sie gemeinsam nach Bedeutungen oder Situationsbeispielen.

**F4**   Wie reagieren Sie? Arbeiten Sie in Viergruppen.
Jeder notiert drei bis vier lustige / komische / traurige / alltägliche / unrealistische Informationen
auf einen Zettel. Mischen Sie die Zettel. Ziehen Sie dann einen Zettel und lesen Sie ihn vor.
Ihre Nachbarin/Ihr Nachbar reagiert mit *na ja, hm, ach ja, aha*. Passt die Reaktion?

> Morgen wird meine          Ach ja?
> Oma 130 Jahre alt!

# Vertraut?

Sehen Sie sich die Bilder an. Hund und Katze verstehen sich nicht. Kann das auch für Menschen gelten? Was glauben Sie? Sprechen Sie im Kurs.

Der Hund signalisiert mit dem Schwanzwedeln in der Regel Freude.

Wenn die Katze ihren Schwanz bewegt, bedeutet das Angriffslust und Aggression.

**a** Wählen Sie ein Foto auf Seite 135 aus und machen Sie sich zu den folgenden Fragen Notizen.

– Was für eine Situation ist auf dem Bild dargestellt?
– Haben Sie etwas Ähnliches auch schon mal gesehen oder beobachtet?
– Haben Sie ähnliche persönliche Erfahrungen gemacht? Was haben Sie dabei empfunden?

**b** Sprechen Sie dann zu zweit über die Bilder.

**a** Lesen Sie den Text und beantworten Sie die folgenden Fragen. Notieren Sie Ihre Antworten.

1 Wie sieht der Autor die Situation eines Fremden zunächst?
2 Was geschieht dann?

„Bei uns in Ghana ist ein Fremder nicht länger ein Fremder, nachdem man sich begrüßt hat. Ich weiß, in Europa ist das anders. Aber dennoch schien es mir eine Missbilligung, wenn Leute starr an mir vorbeischauten, um zu signalisieren, dass sie an ihrem Nachbarn nicht interessiert sind. Doch dann geschah etwas Seltsames: In einer Berliner U-Bahn schaute mal wieder eine Frau beharrlich an mir vorbei, ich stieg aus dem Zug, und plötzlich hörte ich jemanden hinter mir her-rennen. Es war die fremde Frau. Atemlos sagte sie, ein Notizbuch sei mir aus der Tasche gefal-len, und reichte es mir. Ich dachte gründlich über diese Nettigkeit nach und kam zu dem Schluss, dass dieses ernsthafte Vor-sich-hin-Starren bei den Deutschen nicht Unfreundlichkeit oder Zurückweisung bedeutet. Sie sind einfach so.
Aber die Deutschen haben auch einen gewissen Charme. Man muss ihn nur entdecken in diesen abweisenden, meist grimmigen Gesichtern. Der Grimm gilt ja nicht mir, wie ich dann verstanden habe. Sie schauen an dir vorbei und sagen dir: Bitte stör mich nicht, ich habe zu denken. Aber wenn man sie nach dem Weg fragt, dann lächeln sie und helfen."

**b** Beantworten Sie nun die Fragen 3–5. Machen Sie sich Notizen.

3 Haben Sie etwas Ähnliches auch schon mal beobachtet?
4 Haben Sie persönlich ähnliche Erfahrungen gemacht? Was haben Sie dabei empfunden?
5 Könnte ein Fremder in Ihrem Heimatland auch ein „seltsames" Erlebnis haben?

**c** Schreiben Sie mithilfe Ihrer Notizen einen kleinen Text.

**d** Ihre Partnerin / Ihr Partner liest Ihren Text und sucht Wendungen und Ausdrücke, die Sie in der Lektion gelernt haben. Sie/Er unterstreicht Stellen, die ihr/ihm besonders gut gefallen. Danach markiert sie/er Fehler und Stellen, die sie/er nicht versteht.

**e** Überarbeiten Sie dann Ihren Text.

persönliche Erfahrungen und Empfindungen beschreiben

### Fremdheit / Vertrautheit ausdrücken

Das ist ihm fremd / unbekannt / vertraut /...
Das ist für ihn ungewohnt / ...
Das findet er furchtbar / ek(e)lig / seltsam / lecker /
   normal / wunderbar / ...
Er findet es seltsam / ek(e)lig / ..., ... zu essen / ...
Er ist sich nicht sicher, ob ...
Er ist es nicht gewohnt, ... zu ...

### Sicherheit ausdrücken

Das ist garantiert / ganz bestimmt Weihnachten.
Ich bin (mir) ganz sicher, dass ...,
Das ist auf keinen / jeden Fall ...

### starke Vermutung ausdrücken

Das ist sicher ..., das sieht man an ...
Hier geht es sicher um ...

### eine Haltung interpretieren

Er glaubt offensichtlich, dass ...
Er hat (wahrscheinlich) nie gehört, dass ...
Er weiß eigentlich nicht, warum ...
Es kommt ihm komisch vor, dass ...
Das kommt ihm komisch vor, weil ...
Er hat beobachtet, dass ...

### Reaktionen und Gefühle beschreiben

Sie hat sich einsam / ... gefühlt.
Es war ihm peinlich / ...
Sie reagierte überrascht / ...

### Erfahrungen in Zeitabläufen beschreiben

Was hat sich ... geändert?
Wie war das für Sie am Anfang?
Was war für Sie besonders schön / ...?
Wie lange hat es gedauert, bis ...?
Wie geht es Ihnen jetzt ...?
Wie war das für Sie nach ...?
Vor zwei Jahren, da habe ich ...
Die ersten paar Tage/Wochen/... habe ich immer ...
Nach und nach ging es besser ...
Schließlich habe ich mich ...

### mit Empfindungswörtern reagieren

Au ja!
Oje!
Igittigitt!
Mmh!
Wow!
Ach ja!
Aha!
Naja.

## Personalpronomen/Demonstrativpronomen: *es* und *das*

**Das obligatorische *es* gehört fest zu einem Ausdruck.**

Es brennt.
Es ist sicher, dass …

**Obligatorisches *es*: allgemeine Einleitung einer Situation**

Es ist ganz sicher, dass du dein Geld bekommst.
Es geht dich nichts an, was ich mache.

In diesen Ausdrücken kann man
*es* nicht weglassen.

**Demonstrativpronomen *das*: bezieht sich auf einen bekannten Inhalt**

Du bekommst bald dein Geld. – Ist das auch ganz sicher?
Was machst du denn da? – Das geht dich gar nichts an!

## Ergänzungssätze: indirekte Frage nach einer Aussage

**Direkte Frage**

| Fragepronomen | Verb | |
| --- | --- | --- |
| | *Kommt* | er morgen? |
| Wann | *kommt* | er morgen? |

**Indirekte Frage**

| | Konjunktion | | Verb am Ende |
| --- | --- | --- | --- |
| Ich weiß nicht, | ob | er morgen | *kommt.* |
| | wann | er morgen | *kommt.* |

ebenso: *wer, wo, warum,
wie, wozu, womit* etc.

## Temporale Angaben mit Präpositionen, Adverbien und Konjunktionen

**Präpositionen *bei, innerhalb (von), nach, seit, an, zu***

Stör mich bitte nicht beim Essen.
Die Folgen zeigten sich innerhalb von wenigen Tagen.
Am Anfang gab es eine Suppe und zum Schluss ein leckeres Dessert.
Sie werden sehen: Nach sechs Wochen wird der Gips abgenommen.
Seit sechs Wochen trage ich diesen blöden Gips, und ein Ende
  ist nicht in Sicht.
Das Ganze passierte innerhalb weniger Minuten.

(*bei* + Dativ)
(*innerhalb von* + Dativ)
(*an* + Dativ) (*zu* + Dativ)
(*nach* + Dativ)
(*seit* + Dativ)

(*innerhalb* + Genitiv)

**Adverbien**

Gibt es hinterher noch ein Dessert?
Sie sind vor zwei Jahren umgezogen. Ich habe seitdem/seither nichts mehr von ihnen gehört.

**Konjunktion *bis***

Du bleibst bitte sitzen, bis das Dessert *kommt.*

## Finale Angaben: Ziel formulieren

**mit der Präposition *zu***

Ich höre zum Einschlafen immer Musik.

(*zu* + Dativ)

## Attribut: etwas näher bestimmen mit dem Genitiv

Rituale sind Momente der Konzentration.

(Welche / Was für Momente?)

# Weniger bekannt, aber nicht minder berühmt ...

sind einige der hier abgebildeten Volks- und Stadtfeste. Vom Oktoberfest, vom Wiener Christkindlmarkt oder von der Basler Fasnacht haben Sie sicher schon gehört, aber kennen Sie die Feste wirklich? Ihre Geschichte, den historischen Hintergrund, die eigentliche Bedeutung? Ziehen Sie los und gehen Sie den Veranstaltungen auf den Grund. Und besuchen Sie doch auch mal den Stoppelmarkt oder das Schützenfest. Auch über die anderen Veranstaltungen gibt es viel zu erkunden.

Schützenfest in Hannover

Unspunnenfest

Basler Fasnacht

St. Veiter Wiesenmarkt

Stoppelmarkt in Vechta

St. Veiter Wiesenmarkt

Wiener Christkindlmarkt

+++ ein eigenes Interessengebiet darstellen +++ ein eigenes Interessengebiet darstellen +++ ein eigenes Interessengebiet darstelle

nteressengebiet darstellen +++ **ein eigenes Interessengebiet darstellen** +++ ein eigenes Interessengebiet

+++ ein eigenes Interessengebiet darstellen +++ ein eigenes Interessengebiet darstellen +++ ein eigenes Interessengebiet darstelle

# Erwischt

**B**

**A**

**D**

**C**

**1** Wobei könnte jemand erwischt werden? In welcher Situation: Freundeskreis, Politik, Arbeitsplatz, Nachbarschaft, Familie ...?

**2** Was könnten die Fotos mit dem Thema zu tun haben?

**Lernziel: ein eigenes Interessengebiet darstellen**

→ beschreiben, wie man etwas macht
→ Ziele und Absichten formulieren
→ Ziele und Absichten anderer verstehen
→ etwas positiv/negativ bewerten, kritisieren
→ die Arbeits-, Lern-, Studiensituation beschreiben
→ Texte zu vertrauten Themen genau verstehen
→ in längeren/schwierigeren Texten Informationen finden

**Textsorten**

■ Meinung ■ Spielregeln ■
Rätsel ■ Schlagzeilen ■ Rezension ■
Sachtexte ■ Online-Tagebuch ■
Spielrunde ■ Filmkritik ■ Kochrezept

# Mäxchen – ein Würfelspiel

Betrachten Sie das Foto. Was machen die Personen?

Im Bild:

- 2 + 5 — Fünfundzwanzig ..., halt, nein: zweiundfünfzig.
- Das glaube ich nicht. Das will ich sehen. Ertappt! Du hast ja nur eine Drei. Wo ist denn die andere?
- 3 + 2 — Dreier-Pasch
- So ein Mist!
- 4 + 5 — Vierundfünfzig.
- Hier ein Streichholz für dich.
- 4 + 6 — Vierundsechzig.

.35

**a** Lesen Sie die Fragen. Hören Sie dann und antworten Sie.

1 Was ist ein Pasch?
2 Was bedeutet „schummeln"?
3 Wann wird bei diesem Spiel gelogen?
4 Was bedeutet „ertappt"?
5 Was bekommt derjenige, der die Runde verliert?
6 Was ist in diesem Würfelspiel ein *Mäxchen*?

**b** Erklären Sie mithilfe Ihrer Antworten, wie das Spiel geht.
Vergleichen Sie Ihre Spielregeln mit der gedruckten Fassung auf Seite 132.

**c** Spielen Sie *Mäxchen* im Kurs.

**d** Lesen Sie, wie Udo *Mäxchen* im Internet bewertet.
Können Sie das verstehen? Wie hat Ihnen *Mäxchen* denn gefallen?

> Mäxchen macht Spaß und macht total süchtig. Als ich vor
> einiger Zeit noch eine Jugendgruppe leitete, war Mäxchen
> unser absolutes Kultspiel. Wir haben es sehr oft gespielt.
> Udo

- Ich kann das verstehen. Ich könnte ...
- Ich verstehe das überhaupt nicht, mich hat das Spiel ...

# B   Der schöne Schein

**B1**   Krimirätsel

Spielen Sie in Gruppen. Jede Gruppe wählt einen Spielleiter. Er hat die Rollenbeschreibung **A**, die anderen in der Gruppe haben die Rollenbeschreibung **B**.

**A**

Sie sind der Spielleiter. Lesen Sie die Auflösung.
Sie beantworten die Fragen Ihrer Mitspieler.
Sie dürfen nur mit „Ja" oder „Nein" antworten.
Wenn Sie keine Informationen haben, sagen Sie:
„Spielt keine Rolle." Sie dürfen keine weiteren
Informationen geben.

**B**

Sie müssen ein Rätsel lösen. Wählen Sie eines
der beiden Rätsel. Lesen Sie die Situationsbe-
schreibung und stellen Sie dem Spielleiter dann
Fragen. Sie dürfen nur Fragen stellen, die er mit
„Ja" oder „Nein" beantworten kann.

**Rätsel 1**

Hans K. ist seit vielen
Jahren ein allseits
beliebter Arzt in
seiner Stadt.
Plötzlich stehen seine
Patienten vor einer
geschlossenen Praxis.

**Was ist passiert?**

Auflösung: Seite 133

**Rätsel 2**

Der Graf Klaus T.
genießt ein sorgen-
freies Leben. Macht
schöne Reisen, isst in
den besten Restaurants,
sitzt im Theater in der
ersten Reihe. Auf der
Beerdigung seiner
Frau wird er verhaftet.

**Was ist passiert?**

Auflösung: Seite 136

**B2**   Karrieren

**a**   Was versteht man unter dem Wort „Hochstapler"? Lesen Sie die Schlagzeilen.
Finden Sie die Antwort.

## Hochstapler
**auf frischer Tat ertappt*:**
**Arbeitsloser Berliner erschwindelt**
**sich als Graf von Schöneburg Waren**
**im Wert von** 300 000 Euro

*ertappt = erwischt

## Gerd Postel, 48 Jahre alter Hochstapler, soll den Nobelpreis für Medizin bekommen.

Das findet zumindest die Bundesarbeitsgemeinschaft
Psychiatrie-Erfahrener (BPE). Der „falsche Arzt" Gerd Poste

1.36

**b**   Hören Sie eine Filmkritik und entscheiden Sie: Welche Aussage haben Sie im Text gehört:
a, b oder c? Kreuzen Sie an.

1  a   Leonardo DiCaprio ist ein Hochstapler, der sich als Rechtsanwalt, Arzt und Kopilot ausgibt,
       damit er sehr viel Geld verdient.

   b   Leonardo DiCaprio spielt den Hochstapler Frank W. Abagnale, der so tut,
       als ob er Rechtsanwalt, Arzt oder Kopilot wäre.

   c   Leonardo DiCaprio verdient als Rechtsanwalt, Arzt und Kopilot viel Geld.

2  a   Frank W. Abagnale hat keinen Schulabschluss. Es gelingt ihm trotzdem, mit einem Diplom
       von einer Fernsehuniversität Arzt, Kopilot und Rechtsanwalt zu werden.

   b   Frank W. Abagnale hat über Fernsehserien die nötigen Kenntnisse gesammelt,
       um die Rolle eines Arztes, eines Kopiloten und eines Rechtsanwalts perfekt spielen zu können.

   c   Es ist für jeden einfach, als Arzt oder Rechtsanwalt zu arbeiten, man braucht nur
       einen weißen Kittel beziehungsweise eine Uniform.

3  a   Ein Hochstapler ist ein Mensch, der wunderbar verschiedene Rollen spielen kann.

   b   Ein Hochstapler ist ein Mensch, dem die Kinobesucher irgendwie alles glauben.

   c   Ein Hochstapler ist ein Mensch, der Autoritäten nicht infrage stellt.

4  a   Die Filmkritikerin meint, dass dem Regisseur als Hochstapler eine gute Inszenierung gelungen ist.

   b   Die Filmkritikerin meint, dass dem Regisseur mit dem Film eine gute Inszenierung gelungen ist.

   c   Die Filmkritikerin meint, dass der Regisseur lieber eine Komödie hätte machen sollen.

**a** Frank W. Abagnale hat verschiedene Berufe ausgeübt.
Was glauben Sie: Was waren seine Motive? Kreuzen Sie an.

☐ Geld  ☐ Rache  ☐ Spaß  ☐ Abenteuer  ☐ Macht  ☐ Erfolg
☐ Karriere  ☐ Ehre  ☐ Ruhm  ☐ Medienpräsenz  ☐ Risiko

Finale Angaben
GRAMMATIK 1–7

**b** Was waren Frank W. Abagnales Absichten? Sprechen Sie zu zweit.
Verwenden Sie folgende Wendungen und Ausdrücke.

AB 1–11

WORTSCHATZ 8, 9
SÄTZE BAUEN 10, 11

…, um … zu können /…
…, damit er … .
Sein Motiv war …
der Wunsch nach Ruhm /… .
Sein Ziel war es, … / Er hatte das Ziel, …
…, weil er … wollte.

> Sein Ziel war es, reich zu werden.

> Ich glaube eher, sein Motiv war der Wunsch nach Ruhm.

> Oder er machte das, um viel Geld zu verdienen.

**a** Lesen Sie nun eine Rezension zu dem Film aus dem Internet.
Wie drückt der Autor seine positive Meinung aus? Unterstreichen Sie
die Wendungen und Ausdrücke, die er verwendet. Vergleichen Sie im Kurs.

*rezensieren*

… Dieser Film hat mich in zweierlei Hinsicht überrascht. Zum einen hätte ich nie
gedacht, dass dieser Regisseur einen guten Film drehen kann, zum anderen hat
mich das Thema an sich eigentlich nicht interessiert. Aber Spielberg schaffte es
schnell, mich mit seinen Bildern und Einstellungen in seinen Bann zu ziehen.
Besonders gut hat mir auch der Schauspieler in der Rolle des Abagnale gefallen.

Und auch das Thema des Films packte mich bald. Es ist ein unterhaltsamer Film,
der mich vor allem dadurch begeistert hat, dass er interessante Einblicke in Gesell-
schaftskreise gibt, die mir völlig fremd sind. Die Welt der oberen Zehntausend hat
mich, ehrlich gesagt, nie sonderlich interessiert. Aber es spricht doch für den Film,
dass es ihm sogar gelingt, mein Interesse an einer Figur wie Frank W. Abagnale zu
wecken – einem Typ, der mir doch eigentlich eher egal wäre. Aber, ehrlich gesagt,
habe ich mich sogar bei dem Gedanken ertappt, ob ich das wohl auch könnte, so
als Hochstapler mein Geld verdienen. Also, insgesamt ein interessanter Film.

**b** Sie haben vor Kurzem einen guten Film gesehen oder ein gutes Buch gelesen.
Wie war er/es?

**1** Machen Sie Notizen.

AB 12–16   WORTSCHATZ 12, 13
SÄTZE BAUEN 14, 15
TEXTE BAUEN 16

Titel:          Autor/Regisseur:
Inhalt:
Meinung:

**2** Sprechen Sie zu zweit. Verwenden Sie die unterstrichenen Wendungen und Ausdrücke aus B4a.

> Gestern habe ich mal wieder einen Krimi gesehen:
> … Es geht um … Das Thema hat mich … interessiert …
> Auch war der Film sehr unterhaltsam. Der …

**3** Schreiben Sie nun Ihre Rezension. Verwenden Sie dabei ebenfalls die Wendungen und Ausdrücke aus a.

# Fokus Grammatik: finale Angaben im Kontext

**1** **a** Lesen Sie die Textauszüge. Markieren Sie die Textstellen, die ein Ziel oder eine Absicht ausdrücken.

> **A** Den 20-jährigen Frank treibt der Wunsch nach einem ganz anderen Leben aus dem Haus seiner Eltern, nachdem sein Vater mit seiner Firma bankrott macht und die Ehe der Eltern zerbricht. Sein Ziel ist es, schnell reich zu werden.

> **B** Aber, ehrlich gesagt, habe ich mich sogar bei dem Gedanken ertappt, ob ich das wohl auch könnte, so als Hochstapler mein Geld verdienen, um reich oder berühmt zu werden.

> **C** Also, ich meine, irgendwas zu machen, nur damit man reich und berühmt wird, das ist doch Quatsch. Ich mache einfach nur meinen Job, weil ich zufrieden leben will. So einfach ist das.

**b** Warum ist jemand ein Hochstapler? Was sagen Psychologen zu den Motiven? Was passt? Ergänzen Sie.

Ziel ● Wunsch nach ● um ● weil ● damit

1 Warum wird ein Mensch zum Hochstapler? Manchmal kann der .................................... Reichtum darin zum Ausdruck kommen.

2 Wir sehen es am Beispiel Frank W. Abagnales. Er lügt und betrügt, ....................... berühmt und reich zu werden.

3 Sein ....................... ist es, reich und berühmt zu werden. Dafür wird er auch gern zum Hochstapler.

4 Ein Hochstapler macht Dinge, die er eigentlich nicht kann, er tut nur so. Er macht dies, ....................... er von anderen Menschen bewundert wird.

5 Manchmal wird man schon zum Hochstapler, ....................... man zum Beispiel seine Angst nicht zeigen will.

**2** Der Finalsatz: *damit – um ... zu*

**a** Lesen Sie die Sätze. Markieren Sie in jedem Satz das Subjekt.

1 Ich studiere fleißig und möchte immer gute Noten haben, damit ich später einen interessanten Beruf habe.

2 Du fragst, warum ich den ganzen Tag arbeite. Ist doch klar, um bald viel Geld zu verdienen.

3 Meine Schwester jobbt jeden Nachmittag, um sich nächstes Jahr ein Moped kaufen zu können.

4 Mein Bruder jobbt regelmäßig, damit meine Eltern ihm kein Taschengeld geben müssen.

5 Manche Schüler arbeiten neben der Schule, um genug Geld für ihre Hobbys zu haben.

**b** Haben Sie alles markiert? Dann kennen Sie die Regeln. Was stimmt? Kreuzen Sie an.

1 Der Satz mit *um ... zu* hat ☐ ein eigenes Subjekt ☐ kein eigenes Subjekt.

2 Ist das Subjekt im Hauptsatz und im *damit*-Satz verschieden,
☐ kann ich auch einen Satz mit *um ... zu* bilden ☐ kann ich keinen Satz mit *um ... zu* bilden.

3 Wenn *um ... zu* und *damit* möglich sind, nimmt man gern ☐ den Satz mit *damit* ☐ den Satz mit *um ... zu*.

4 Der Sprecher in Satz 2a1 wiederholt das Subjekt, weil er ☐ es betonen will ☐ besonders korrekt sprechen will.

AB 35

(a) Schreiben Sie eine Einkaufsliste. Notieren Sie die Lebensmittel,
die Sie in einer Woche normalerweise kaufen.

AB 17 → WORTSCHATZ

(b) Sammeln Sie und sortieren Sie Ihre Produkte nach folgenden Kriterien.

| Obst und Gemüse | Milchprodukte | Fleisch, Fisch, Geflügel | Fertiggerichte | Süßigkeiten/ Knabbereien (Chips, Salzstangen …) | sonstige Produkte |
|---|---|---|---|---|---|
| | | | | | |

(c) Was würden Sie als eher ungesund, was als eher gesund bezeichnen?

(a) Sehen Sie sich den Umschlag an. Was glauben Sie: Worum geht es in dem Buch?
(b) Lesen Sie dann Zeile 1–16 und vergleichen Sie. Waren Ihre Vermutungen richtig?

# Die Suppe lügt
## Die schöne neue Welt des Essens
*von Hans-Ulrich Grimm*

Labor-Aroma ist die Leitsubstanz der modernen Lebensmittelproduktion.
Ohne die geheimnisvollen Pülverchen und Säfte wären die Industrie-
produkte im Supermarkt ungenießbar und damit unverkäuflich. Aroma
ist nötig, um geschmacklose Rohstoffe aufzuwerten, Aroma ist wichtig,
5 um den unangenehmen Beigeschmack der Lebensmitteltechnik zu über-
tünchen („maskieren", wie das in der Fachsprache der Chemie-Künstler
heißt). [...]

Das Problem ist nur: Die Illusion, es handele sich dann etwa bei einem
Produkt namens „Hühnersuppe" um eine solche, muss glaubhaft aus der Tüte rieseln und nach
10 dem Begießen mit Wasser sinnlich so erscheinen. Das ist nicht ganz einfach. Eine „Hühnersuppe
mit Nudeln" aus dem Hause Knorr beispielsweise enthält nur zwei Gramm „Trockenhuhn" in
Form von Kügelchen. Das entspricht gerade mal sieben Gramm vom Fleisch eines echten
Federviehs („Nasshuhn" genannt). Damit kann natürlich kein Koch der Welt Hühnergeschmack
in vier Teller Suppe zaubern. Knorr kann das – mit einem Gramm „Aroma", dem Geschmack aus
15 der Fabrik. Das gibt zwar keine echte Hühnersuppe, aber immerhin eine „vergleichbare Lösung",
wie ein Knorr-Chemiker diese Flüssigkeit nennt. Preis: 89 Cent.

Maggi macht das ähnlich: In der sogenannten „Rinds-Bouillon" hat die Firma 2,3 Gramm Rinder-
fett und mindestens 670 Milligramm Fleischextrakt pro Liter untergebracht; mengenmäßig den
größten Anteil nehmen laut Etikett andere Substanzen ein: Jodsalz, Aroma, Geschmacksverstärker
20 (Natriumglutamat, E 631, E 627). Eigentlich ist es vermessen, das Erzeugnis nach jenen winzigen,
im Milligrammbereich liegenden Spuren von Fleischextrakt zu taufen. Eigentlich müsste das
Erzeugnis nach seinen wesentlichen Zutaten benannt werden: „Jodsalz-Aroma-Geschmacksver-
stärkerbouillon". Das klingt nicht sehr schön. Womöglich würden die Suppenfreunde ein solches
Erzeugnis gar nicht auslöffeln wollen. [...] Die Suppe lügt.

**c** Lesen Sie den ganzen Text und lösen Sie die Aufgaben.

**1** Abschnitt 1: Stehen die folgenden Aussagen im Text? Lesen Sie und kreuzen Sie an.    ja    nein

**a** Fertigprodukte würden auch ohne künstliche Geschmacksstoffe ziemlich gut schmecken.    ☐    ☐

**b** Die Rohstoffe, die in der Lebensmittelindustrie für Fertigprodukte verwendet werden,    ☐    ☐
haben in der Regel keinen eigenen Geschmack.

**c** Fertigprodukte haben einen unangenehmen Geschmack, den man nur mit Aromen    ☐    ☐
wegbekommen kann.

**2** Beantworten Sie die folgenden Fragen.

**a** Abschnitt 2: An welchem Beispiel erklärt der Autor, was ein Fertigprodukt ist?
Was ist der Unterschied zu einer „normalen" Suppe? Machen Sie Notizen.

**b** Abschnitt 3: Wie würde der Konsument möglicherweise reagieren, wenn er wüsste,
woraus die Rindersuppe eigentlich besteht?

**3** Der Autor verwendet folgende Wörter: *geschmacklos*, *ungenießbar*, *unverkäuflich*,
*vergleichbar*, *geheimnisvoll*. Suchen Sie die Wörter im Text und erklären Sie ihre Bedeutung.

**d** Und was kaufen Sie nächste Woche ein?
Vergleichen Sie mit Ihrer Einkaufsliste aus C1a.

AB 18–21 ➤ -bar, -los, -lich,
-voll, -sam, un-
GRAMMATIK

🔘 1.37

**C3 a** Eine echte Suppe!
Hören Sie, wie der Koch Bruno Klang eine Hühnersuppe zubereitet,
und machen Sie sich Notizen.

Zutaten:
Arbeitsschritte:
Tipps:

**b** Beschreiben Sie Ihrer Lernpartnerin / Ihrem Lernpartner, wie man
Bruno Klangs Suppe zubereitet. Sie/Er vergleicht dabei mit ihren/seinen
Notizen. Verwenden Sie folgende Wendungen und Ausdrücke.

AB 22–25 ➤ WORTSCHATZ 2
SÄTZE BAUEN 2
TEXTE BAUEN 2

Für die/den/das ... braucht man folgende Zutaten: ...
... schneiden wir den Sellerie / ...
Achten Sie dabei vor allem auf ...
Am besten ...
Noch ein Tipp: ...
Man darf auf keinen Fall ..., sondern ...
Das ist vor allem wichtig, wenn man ...

**c** Was kochen Sie besonders gern? Bilden Sie Gruppen.
Tauschen Sie Rezepte aus und beschreiben Sie, wie Sie das Gericht zubereiten.

# Eine wirklich nette Kollegin

**a**  Lesen Sie den Auszug aus einem Online-Tagebuch.
Über welchen Lebensbereich berichtet Jutta?

Ich hab' die letzten zwei Wochen Urlaubsvertretung für meine oft an dieser Stelle
erwähnte Kollegin Birgit gemacht. Es war so viel zu tun, sie hatte nichts organisiert,
wirklich gar nichts, das könnt ihr euch gar nicht vorstellen! Meine eigene Arbeit hat
darunter gelitten, weil ich so mit ihrer beschäftigt war. Aber ich wollte alles 120-pro-
5  zentig machen, damit ich ihr keine Angriffsfläche biete. Hat auch geklappt!!! Mein Chef hat allen
gesagt, dass man sich auf mich wirklich voll verlassen kann! Ich bin ganz stolz auf mich! (Vielleicht
klappt es ja endlich mit meiner Gehaltserhöhung!?) Plötzlich habe ich mich dann aber dabei ertappt,
dass ich schon vor einer Woche mit einem Kloß im Hals an ihre Rückkehr gedacht habe. Dieses
Gefühl hat sich dann am Wochenende extrem gesteigert. Ich ärgere mich selbst darüber. Ich habe
einfach keinen Bock auf noch mehr Konflikte, das stresst mich so und behindert meine Arbeit
10 kolossal. Ist das nicht schon Mobbing?!

Tja, Gott sei Dank blieb der gefürchtete Konflikt aus. Der Umgang war völlig neutral zwischen uns.
Das beruhigt mich ungemein. Mich strengt dieser Gedanke an diesen Konflikt einfach so an, weil
ich auf keinen Fall einen offenen Streit möchte. Vor allem liegt dieser Konflikt einzig und allein bei
meiner Kollegin, sie befindet sich im Konflikt mit sich selbst. Ich frage mich, wie das nur weiterge-
15 hen soll! So viel für den Augenblick. Vielleicht später oder morgen mehr ... ;-) Jutta

AB 26–30  **reflexive Verben**
GRAMMATIK

**b**  Lesen Sie den Text noch einmal und entscheiden Sie, wie Jutta die Situation sieht:
positiv oder negativ? Kreuzen Sie an.

1  Zeile 1–3: Jutta hat schon viel über Birgit geschrieben. Wie sieht sie selbst ihr Verhältnis zu ihrer Kollegin?
   positiv ☐   negativ ☐

2  Zeile 3–7: Wie hat Jutta die Urlaubsvertretung erledigt? Wie bewertet sie ihre Arbeit?
   positiv ☐   negativ ☐

3  Zeile 7–11: Die Kollegin kehrt bald zurück. Wie sind Juttas Gefühle, bei denen sie sich ertappt hat?
   positiv ☐   negativ ☐

4  Zeile 12–15: Wie beurteilt Jutta ihre eigene Rolle in dem Konflikt?
   positiv ☐   negativ ☐

**c**  Fassen Sie die Situation, wie sie von Jutta beschrieben wird,
in einigen Sätzen zusammen. Schreiben Sie.

AB 31–34  WORTSCHATZ 31
SÄTZE BAUEN 32
PHONETIK 33
TEXTE BAUEN 34

Jutta ............... Urlaubsvertretung für ihre Kollegin Birgit gemacht.

Birgit ..............., aber Jutta hat ...............

Ihr Chef hat sie gelobt und allen gesagt, dass ...............

Trotzdem hat sie sich dabei ..............., dass ...............

Das Gefühl der Angst hat sich sogar gesteigert.

Darüber hat sich Jutta ............... Zum Glück ist dann aber nach

der Rückkehr nichts passiert, Birgit hat sich ganz ............... verhalten.

Der Konflikt ............... Trotzdem fragt ..............., wie ...............

# D   Eine wirklich nette Kollegin

**D2** **a**   Wird Jutta von Birgit gemobbt? Welche der vier Merkmale von Mobbing treffen auf Juttas Situation zu? Kreuzen Sie an. Vergleichen Sie im Kurs.

> Rund 1,5 Millionen Menschen erleben jeden Tag in der Bundesrepublik Psychoterror am Arbeitsplatz. Viele dieser Betroffenen, aber auch Vorgesetzte und Kollegen stehen oftmals hilflos vor diesem Problem. Mobbing-Betroffene werden gekündigt oder sind durch die langen Quälereien am Arbeitsplatz arbeitsunfähig geworden. Mobbing ist etwas anderes als die alltäglichen Konflikte und Streitereien. Und: Das Thema ist keineswegs neu. Mobbing war schon immer ein Problem in der Arbeitswelt. Mit der zunehmenden Verschärfung von Leistungsdruck und Konkurrenz im Betrieb ist es jedoch wieder besonders aktuell geworden.
> Was aber ist Mobbing?
> In einer häufig benutzten Beschreibung heißt es:

1   ● **Mobbing ist eine konfliktbelastete Kommunikation am Arbeitsplatz, unter Kollegen oder zwischen Vorgesetzten und Mitarbeitern.**

2   ● **Dabei kann sich die angegriffene Person nicht wehren.**

3   ● **Sie wird von einer oder mehreren anderen Personen systematisch und während längerer Zeit direkt oder indirekt angegriffen.**

4   ● **Ziel oder Effekt der Angriffe ist die Ausgrenzung der betroffenen Person. Sie wird zum Beispiel nicht mehr gegrüßt.**

**b**   Reagieren Sie auf Juttas Eintrag im Online-Tagebuch. Schreiben Sie,

– warum Sie schreiben (Interesse für die Situation, für das Thema),
– wie Sie Juttas Situation verstanden haben,

– ob Sie das auch als Mobbing ansehen oder nicht,
– ob Sie eigene Erfahrungen in einer ähnlichen Situation gemacht haben (Schule, Studium, Berufsausbildung, Beruf, Verein ...).

**c**   Ihre Partnerin / Ihr Partner liest Ihren Text und markiert Fehler und Stellen, die sie/er nicht versteht. Sie/Er unterstreicht besonders gelungene Sätze. Überarbeiten Sie dann Ihren Text.

---

## Fokus Grammatik: reflexive Verben im Kontext

---

**1** **a**   Lesen Sie noch einmal den Text in D1a. Markieren Sie alle reflexiven Verben. Vergleichen Sie zu zweit.

**b**   Gleiches Verb – gleiche Bedeutung? Übersetzen Sie die Verben.

| A | | B | |
|---|---|---|---|
| sich fragen | ...................... | fragen | ...................... |
| sich ärgern über | ...................... | jemanden ärgern | ...................... |
| sich vorstellen | ...................... | jemanden / etwas vorstellen | ...................... |
| sich beruhigen | ...................... | jemanden beruhigen | ...................... |
| sich ertappen bei | ...................... | jemanden ertappen | ...................... |
| sich steigern | ...................... | etwas steigern | ...................... |
| sich verlassen auf | ...................... | jemanden / etwas verlassen | ...................... |
| sich anstrengen | ...................... | | |
| sich befinden | ...................... | | |

**c**   Lesen Sie. Welche Bedeutung aus 2 haben die Verben in den folgenden Sätzen? Markieren Sie mit **A** oder **B**.

1   ● Du, Ulla hat nach 33 Jahren Ehe ihren Mann verlassen! Ist das nicht der Wahnsinn? ☐

    ▼ Was? Ich dachte, das ist endlich mal eine gute Beziehung. Man kann sich wirklich auf niemanden mehr verlassen. Der arme Mann. ☐

2 a  Jedes Jahr muss der Gewinn in unserer Abteilung gesteigert werden. Jedes Jahr mehr Arbeit, jedes Jahr größerer Stress.

 b  Liebe Mitglieder, sicher quält auch Sie die Frage, wie sich der Gewinn in Ihrem Unternehmen steigern könnte. Ganz einfach. Besuchen Sie unseren Vortrag am 19. Januar.

3 a  Nett, dass Sie gekommen sind und uns etwas über Mobbing am Arbeitsplatz erzählen. Unser Besprechungszimmer befindet sich im zweiten Stock. Kommen Sie, der Aufzug ist da drüben.

 b  Ich glaube, wir müssen das mal im Betriebsrat diskutieren: Unsere Kantine befindet sich wirklich in einem schrecklichen Zustand.

4 a  Oje, morgen kommt Herr Meier und stellt uns die neuen Produkte seiner Firma vor. Das dauert sicher wieder sehr lange.

 b  Die meisten der Befragten können sich vorstellen, im Ruhestand in irgendwelchen Hilfsorganisationen oder Nachbarschaftshilfen mitzuarbeiten.

 c  Hallo, ich wünsche Ihnen allen einen schönen Abend und möchte mich kurz vorstellen. Also, mein Name ist Hans Erich, einige von Ihnen kennen mich ja schon.

d  Überprüfen Sie noch einmal Ihre Übersetzungen. Müssen Sie etwas ergänzen?


Lesen Sie Text 1 und Text 2. Reflexivpronomen oder Personalpronomen?
Suchen Sie die Unterschiede.

Kaleidoskop
des Ärgerns

| 1 | |
|---|---|
| ich ärgere mich | |
| du ärgerst dich | |
| er ärgert sich | |
| wir ärgern uns | |
| ihr ärgert euch | |
| sie ärgern sich | über sie. |

| 2 | |
|---|---|
| ich ärgere sie | |
| du ärgerst mich | |
| er ärgert ihn | |
| wir ärgern euch | |
| sie ärgern mich | |
| aber ihr ärgert uns! | |

AB 36

---

# Und was interessiert *Sie* so?          SPRECHEN          E

a  Wählen Sie zwei der folgenden Themen: Eins, für das Sie sich wirklich interessieren, und eins, für das Sie sich nicht interessieren.

Gesellschaftsspiele     Romane     Ernährung     Filme     Hobbys     Berufe

b  Lesen Sie jetzt die Stichpunkte zu Ihren Themen und machen Sie sich Notizen dazu.

| Gesellschaftsspiele | Romane | Ernährung | Filme | Hobbys | Berufe |
|---|---|---|---|---|---|
| Name? Ursprung? | Autor? Titel? | Speise? | Titel? | Was? Welches? | Ausbildung? |
| Regeln? | Inhalt? | Rezept? | Regisseur? | Warum? | Aufgaben? |
| Ziel? | Ziel? | Ziel? | Schauspieler? | Aktivität? | Ziel? |
| | | | Inhalt? | Ziel? | |
| | | | Ziel? | | |

Im Folgenden müssen Sie *beide* Themen als Ihre Interessengebiete vorstellen. Beschreiben Sie dabei auch, warum oder mit welchem Ziel Sie sich mit dem Thema beschäftigen.

c  Bilden Sie Vierergruppen. Stellen Sie in der Gruppe Ihre beiden Interessengebiete vor. Die anderen müssen erraten, für welches Thema Sie sich nicht interessieren. Machen Sie es Ihrer Gruppe nicht zu leicht und lassen Sie sich nicht erwischen!

d  Reflektieren Sie: Haben Sie Wendungen und Ausdrücke dieser Lektion verwendet?

### Ziele / Absichten formulieren

..., um die Rolle eines Arztes spielen zu können.

..., damit er viel Geld verdienen kann.

Sein Motiv war der Wunsch nach Ruhm.

Sein Ziel war (es), reich zu werden.

Er hatte das Ziel / den Wunsch, berühmt zu werden.

..., weil er berühmt werden wollte.

### etwas bewerten / kritisieren

Der Film hat mich überrascht ...

Das Thema an sich hat mich (schon) interessiert / (eigentlich) nicht interessiert.

Besonders gut hat mir auch ... gefallen.

Es ist ein unterhaltsamer / interessanter Film, der ...

   ... hat mich ehrlich gesagt nie / schon immer/ kaum /... interessiert.

Aber es spricht doch für den Film, dass es ihm gelingt,

  mein Interesse an ... zu wecken.

Also, insgesamt ein interessanter/spannender /... Film.

### beschreiben, wie man etwas macht

Dafür braucht man folgende Zutaten: ...

... schneiden wir den Sellerie / ...

Achten Sie dabei vor allem auf ...

Am besten ...

Noch ein Tipp: ...

Man darf auf keinen Fall ..., sondern ...

Das ist vor allem wichtig, wenn man ...

### eine Arbeitssituation beschreiben

Jutta hat Urlaubsvertretung für ihre Kollegin Birgit gemacht.

Ihr Chef hat sie gelobt ...

Trotzdem hat sie sich dabei ertappt, dass ...

Das Gefühl der Angst hat sich sogar gesteigert.

Darüber hat sich Jutta ...

Das hat ihre Arbeit behindert.

Zum Glück ist dann aber ... nichts passiert,

... hat sich ganz ... verhalten.

Der Konflikt ...

Sie fragt sich, wie ...

## Finale Angaben: Ziele / Absichten formulieren

### mit Konjunktionen

*weil ... will*
Der Hochstapler Postel arbeitet als Arzt, **weil** er viel Geld verdienen will.

*damit*
Der Hochstapler Postel arbeitet als Arzt, **damit** *die Menschen* ihn bewundern.                    unterschiedliche Subjekte

*damit / um ... zu*
*Der Hochstapler Postel* arbeitet als Arzt,    **um** viel Geld **zu** verdienen.
                                               **damit** *er* viel Geld verdient.                       gleiches Subjekt

### mit Nomen + Infinitiv mit *zu*
Er hat das **Ziel** / **Es ist sein Ziel**, reich und berühmt zu werden.

### mit festen Ausdrücken mit Präpositionen
Der Hochstapler Postel hat **den Wunsch nach** Reichtum und Ruhm.

## Reflexive Verben

### Verwendung von Verben mit und ohne *sich*

**ähnliche Bedeutung**
Da habe **ich mich** aber ganz schön **geärgert**.
Du, lass uns doch mal **die Lehrerin ärgern**.

**unterschiedliche Bedeutung**
Man kann **sich** einfach **auf** niemanden **verlassen**.        *sich verlassen auf* bedeutet *vertrauen*
Unter Protest haben sie **die Sitzung verlassen**.                *verlassen* bedeutet *weggehen*

### Formen

**Reflexivpronomen im Akkusativ**

| Singular | | | Plural | | |
|---|---|---|---|---|---|
| ich | ärgere | **mich** | wir | ärgern | **uns** |
| du | ärgerst | **dich** | ihr | ärgert | **euch** |
| er, es, sie | ärgert | **sich** | sie/Sie | ärgern | **sich** |

ich, du, wir, ihr ➝ gleiche Formen wie die Personalpronomen: Ich ärgere **mich**. – Ich kenne **mich**.
er, es, sie, Sie ➝ andere Formen als die Personalpronomen: Sie ärgert **sich**. – Sie kennt **ihn**.

**Reflexivpronomen im Dativ (wenige Verben)**

| Singular | | | | Plural | | | |
|---|---|---|---|---|---|---|---|
| ich | stelle | **mir** | | wir | stellen | **uns** | |
| du | stellst | **dir** | etwas vor | ihr | stellt | **euch** | etwas vor |
| er, es, sie | stellt | **sich** | | sie/Sie | stellen | **sich** | |

## Wortbildung: Adjektiv

### mit Suffixen

| aus Verben | -sam: unterhaltsam | (unterhalten) | aus Nomen | -los: geschmacklos | (der Geschmack) |
|---|---|---|---|---|---|
| | -bar: vergleichbar | (vergleichen) | | -voll: geheimnisvoll | (das Geheimnis) |
| | -lich: verkäuflich | (verkaufen) | | | |

**mit dem Präfix** un-:  ungenießbar
                        unverkäuflich

bewegt sich jeder, der vor einem Zeitschriftenkiosk auf einem Bahnhof steht. Das ist in Wien, Zürich oder Berlin nicht anders als in anderen Städten der Welt. Wie also die Zeitschrift finden, die einen interessiert? Ganz einfach, schauen Sie doch mal in folgende Zeitschriften hinein, vielleicht ist die richtige dabei?

www.annabelle.ch

**annabelle**

10/07
23. Mai 2007

Ein Bier, bitte!
Sommerleichte Rezepte rund ums Trendgetränk

**KARRIERE-KILLER KIND**
Wie Firmen Mütter mobben

heiss!

AUGUST 2007

**natur+kosmos**
nachhaltig faszinierend

www.natur.de

## Umweltkiller Biosprit

Warum der Treibstoff vom Acker Wälder zerstört, Hunger verursacht – und dem Klima so gut wie nichts bringt

PROJEKT ZUKUNFT
Die Rhön – eine Region blüht auf

GESUNDHEIT AUS DEM OZEAN
Gib mir Meer – nicht nur im Urlaub

UNTER WASSER DOKUMENTIERT
Afrika – ein Kontinent zerbricht

WILD, SINNLICH, DRAMATISCH
Zwölf starke Naturfotos

Der Prediger und der Bischof: Naturschützer in Gottes Namen

www.stern.de

NR. 35 23.8.2007 Deutschland 2,80 €

**stern**

Lobsang Lama in seiner Schule in Nepal

Faszinierende Fotos aus aller Welt
# Mein erster Schultag

Von Grönland bis Papua-Neuguinea:
Wie Kinder ins Leben starten

**Mafia-Morde**
Die Geschichte der

**Murks aus China**
So erkennen Sie sichere

**Prinzessin Diana**
Weggefährten über

www.psychologie-heute.de
D6940E

www.psychologie-heute.de

**PSYCHOLOGIE HEUTE**

September 2007

## Zeit genug!
Wie wir mit unserem kostbarsten Gut umgehen sollten

Charles Darwin
**Der heimliche Star der Psychologie**

Selbsterkenntnis
**Die vergebliche Suche nach dem Ich**

HEFT 9 € 5,90 SFR 12.00

www.profil.at

ofil

www.kicker.de

+++ Alltagsgespräche führen +++ Alltagsgespräche führen +++ Alltagsgespräche führen +++ Alltagsgespräche führen +++ Alltagsges

Alltagsgespräche führen +++ **Alltagsgespräche führen** +++ Alltagsgespräche führen +++ Alltagsgespräche führen ++

+++ Alltagsgespräche führen +++ Alltagsgespräche führen +++ Alltagsgespräche führen +++ Alltagsgespräche führen +++ Alltagsges

# Eintauchen 5

C

B

A

F

E

D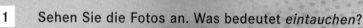

**1**    Sehen Sie die Fotos an. Was bedeutet *eintauchen*?

**2**    Was könnte man in diesem Zusammenhang vielleicht noch abbilden?

**Lernziel: Alltagsgespräche führen**

→ Umgangssprache verstehen
→ verkürzte Sätze verstehen und darauf reagieren
→ über das Verhalten anderer Vermutungen äußern und begründen
→ gemeinsam eine Geschichte entwickeln
→ ein Hobby darstellen
→ gemeinsam über Vergangenes sprechen
→ sich in der SMS-Sprache zurechtfinden

**Textsorten**

Werbeslogan   Bericht   Statements
E-Mails   Magazintext   Klappentext
Startseite einer Homepage   Telefonat
Interview   ■  SMS-Nachrichten

**a** Ein neues Buch ist auf dem Markt: *Planet Meer*. Lesen Sie dazu den Werbeslogan des Verlags. Würden Sie der Aufforderung folgen und in das Buch „eintauchen"?

Das Prinzip aller Dinge ist das Wasser

Quelle allen Lebens

Das größte Kunstwerk der Welt

Tauchen Sie ein

**b** Was ist für Taucher an der Unterwasserwelt so faszinierend? Was glauben Sie?

### Utopie oder Wirklichkeit?!

**a** Sehen Sie sich die beiden Fotos an und lesen Sie die Bildlegenden. Ist das eine wahre Meldung? Entscheiden Sie.

Premiere in Genf: Auf dem Genfer Autosalon Anfang März wurde das erste Tauchauto der Welt präsentiert.

Tauchauto sQuba: So sieht ein Tauchgang mit der jüngsten Kreation des Erfinders Frank M. Rinderknecht aus.

**b** Lesen Sie den folgenden Text. War Ihre Einschätzung in a richtig?

## Tiefenrausch à la 007

An Kuriosem herrscht im Kosmos von Frank M. Rinderknecht kein Mangel. Beim Genfer Autosalon ging der Chef der Schweizer Firma Rinspeed nun sogar unter Wasser: Im Geiste von James Bond baute er das erste Tauchauto der Welt.

Hört man Frank M. Rinderknecht zu, scheint Marktforschung so einfach zu sein. „Wenn man zehn Menschen nach ihren bevorzugten Fähigkeiten für das ultimative Auto fragt, dann werden die Antworten immer gleich sein: Die einen wollen fliegen, die anderen tauchen", sagt der Chef der Tuningfirma.

Das mit dem Fliegen werde schwierig, solange man an ein Auto und nicht an eine Cessna mit vier Rädern denke, räumt Rinderknecht ein. „Die Sache mit dem Tauchen hat dagegen seit dem James-Bond-Film ‚Der Spion der mich liebte' jeder im Kopf." [...] Die ersten offiziellen Bilder vom sQuba waren zwar Animationen und damit keinen Deut besser als die geistige Vorlage aus dem James-Bond-Film. Doch gibt es das Fahrzeug längst auch in der Realität, sagt Rinderknecht. „Wir haben geschuftet, geschwitzt, gefroren", sagt er in Erinnerung an frostige Testfahrten zu Lande und zu Wasser.

Diese Woche ging Rinderknecht mit dem sQuba zum ersten Mal auf Tauchstation. In vier Grad kaltem Wasser musste der Wagen beweisen, ob er wirklich dicht hält. Er hielt „dicht" (obwohl das Auto ja eigentlich offen ist!). Und Rinderknecht gelang es auch diesmal, seine Innovation pünktlich beim 78. Auto-Salon zu präsentieren.

**c** Was sagt der Autoentwickler Rinderknecht über die Wünsche seiner Kunden? Sind das auch Ihre?

**d** Würden Sie mit dem Tauch-Auto in die Unterwasserwelt des Genfer Sees eintauchen?

# B  Eintauchen in ...

**B a** Über welche „Welten" wird in den Texten A–G gesprochen? Ordnen Sie zu.

**1** Medien ■ **2** Literatur ■ **3** Konsum ■ **4** Vergangenheit ■ **5** Reise ■ **6** Sprache ■ **7** Musik

**A** [ ] Als Austauschstudent in Toronto: Eingetaucht nicht nur in eine neue Familie, sondern auch in eine fremde Klang- und Wortwelt.

**B** [ ] Während unseres zweiwö-chigen Aufenthalts wollen wir in die Besonderheiten der landestypischen Küche, aber auch in die Alltagswelt der Landbevölkerung eintauchen.

**C** [ ] Die Texte handeln von großen Gefühlen, Sehnsucht, Liebe und Glück, von Abgründen und von Gott ... Sie sind ehrlich und voller Wärme. In die Lieder kann jeder je nach Lust tief eintauchen und sich von den emotionalen Texten und der leidenschaftlichen Stimme mitreißen lassen.

**D** [ ] Eingetaucht in eine Geschichte über Menschen, die auf vergilbten Bildern mit-einander tanzen und die heute nirgends mehr zu finden sind. Auf Fotos, die durch viele Hände gingen und auf deren Glanzschicht nun so einige Spuren sind.

**E** [ ] Selten habe ich mich so in ein Buch vertieft. Selten habe ich die Bösen so geliebt. Innerhalb von anderthalb Tagen habe ich den „Schatten des Windes" verschlungen, bin eingetaucht in eine wundervolle und gleichsam erschreckend düstere Welt, hinein in uralte Häuser Barcelonas.

**F** [ ] Erst neu eröffnet und direkt im Zentrum gelegen, vermittelt dieses Wunder aus toskanischer und venezianischer Architektur mit italienischen Brücken sowie Renaissance-Wandmalereien den Eindruck, man sei in eine andere Welt eingetaucht: Mit 120 Geschäften, vielen Cafés und Restaurants erwartet Sie ein Einkaufszentrum der Superlative.

**G** [ ] Eingetaucht in den medialen Wahnsinn: Tagelang nur durch die Kanäle gezappt und im Internet gesurft ...

**b** Worum geht es bei den „verschiedenen" Welten, in die die Personen eingetaucht sind?

> In A geht es um Sprache und Kultur ...

> ... oder darum, wie Sprache klingt und ...

**c** In welche „Welten" tauchen Sie gern ein? Was ist Ihre „Lieblingswelt"? Sprechen Sie zu zweit. Verwenden Sie auch folgende Wendungen und Ausdrücke.

Ich könnte stundenlang Musik von ... hören. ■
Ich liebe es, ... ■ Wenn ich mich in ... vertiefe, vergesse ich ... ■
Ich könnte jeden Tag ... hören/lesen ... ■ Ich würde am liebsten ...

AB 1–12

eintauchen **in**
sich vertiefen i
GRAMMATIK 1–

WORTSCHATZ
SÄTZE BAUEN
PHONETIK 12

> Ich könnte stundenlang Musik von Konstantin Wecker hören, das ist meine Welt.

> Ich würde am liebsten noch einmal in eine ganz fremde Welt eintauchen, ...

> Wenn ich mich in ... vertiefe, vergesse ich alles um mich herum.

# Fokus Grammatik: Verben und Präpositionen

**a** Lesen Sie die folgenden Sätze mit *sprechen*. Lösen Sie dann b, c und d.

1 ... und so nett, so hilfsbereit, so charmant, sag mal, stört es dich eigentlich,
   wenn ich so viel von ihr *spreche*?

2 Du, ich muss unbedingt mit dir *sprechen*.

3 Politiker *sprechen* im Fernsehen zu uns. Ob sie dabei auch an uns denken?

4 Wovon *spricht* der heute eigentlich? Jetzt redet er schon seit zehn Minuten,
   und ich habe echt keine Ahnung, was eigentlich sein Thema ist.

5 Du, die beiden Männer da, siehst du die? Worüber die wohl *sprechen*, das würde ich gern wissen.

6 In dieser Schule sprechen alle nur auf *Deutsch*.

7 Die ist echt cool. Sie spricht frei vor *der Klasse*, sie braucht nicht mal ihre Notizen.

8 Einer muss es mal sagen! Und ich spreche jetzt für die Mehrheit der Bevölkerung,
   für Millionen von Menschen!

9 Vergessen Sie bitte nicht, er arbeitet seit zwanzig Jahren bei uns, zu unserer vollsten Zufriedenheit.
   Das allein *spricht* doch wohl für ihn.

**b** Übersetzen Sie den Satz 6 in Ihre Muttersprache. Lösen Sie dann die folgende Aufgabe.

Wie lautet der folgende Satz richtig? Kreuzen Sie an.

In diesem Satz gehört die Präpositionen ☐ fest zum Verb ☐ fest zum Ausdruck.

**c** Übersetzen Sie den Satz 7 in Ihre Muttersprache. Lösen Sie dann die folgende Aufgabe.

Wie lautet der folgende Satz richtig? Kreuzen Sie an.

In diesem Satz gehört die Präpositionen ☐ fest zum Verb ☐ ist Teil einer Ortsangabe.

**d** Übersetzen Sie die Sätze 1–5 sowie 8 und 9 in Ihre Muttersprache.
Lösen Sie dann die folgende Aufgabe.

Wie lauten die folgenden Sätze richtig? Kreuzen Sie an.

1 In diesen Sätzen gehören die Präpositionen ☐ fest zum Verb ☐ nicht fest zum Verb.
2 Das Verb und die Präposition haben ☐ eine eigene Bedeutung ☐ haben keine eigene Bedeutung.

**a** Markieren Sie in den Beispielsätzen zuerst die Satzteile mit obligatorischer Präposition.
Ordnen Sie die Sätze dann in die Tabelle ein.

1 Jeden Tag spricht er im Büro nur von ihr.
2 Er will in Zukunft wieder zu den Wählern sprechen.
3 Heute sprechen sie in den Medien mal wieder über die Zukunft.
4 Sie hat lange von dieser Sache gesprochen.

| Satzanfang | Verb 1 | | | Satzende Ergänzung mit Präposition | Verb 2 |
|---|---|---|---|---|---|
| Jeden Tag | spricht | er | im Büro nur | von ihr. | |

**b** Welche Regel stimmt? Kreuzen Sie an.

Die Ergänzung mit der Präposition steht

a ☐ in der Nähe von Verb 1.
b ☐ möglichst weit hinten im Satz.

AB 31

**C1** **a** **Lesen Sie die\* E-Mail, die Bert seinen Freunden Jan, Basti und Daniel geschrieben hat.** \* die/das E-N
**Beantworten Sie die Fragen.**

– Was braucht Bert von seinen Freunden?
– Welche Informationen über die „Kneipe" enthält die E-Mail?

> Hey, wie läuft's bei euch so? Hab 'ne Bitte. Wisst ihr noch, als wir
> in San Francisco waren, die eine Kneipe da, die war doch wirklich
> super, oder? Mein Bruder fliegt nächste Woche und da hab ich
> gedacht, er könnte da doch mal vorbeigehen und hallo sagen.
> Also, ich weiß noch genau, am Parkhaus ging's links rein und dann
> noch ein Stück und gegenüber von der Tankstelle, da war's. Wie
> die Straße heißt, weiß ich natürlich nicht mehr, aber die Musik war
> super und der Kellner (Fabio, oder?) 'ne echte Nummer ...
>
> Bert

Wie läuft's bei
euch so?
Am ... ging's
links rein.
Da war's.
GRAMMATIK

AB 13, 14

**b** **Wie könnte Bert sein Problem lösen? Was schlagen Sie vor?**

Internet ⬚ Telefonauskunft ⬚ Branchenbuch ⬚ Zeitung ⬚ Stadtführer ⬚
Restaurant- und Kneipenführer ⬚ Leute in der Umgebung fragen ⬚ Tourist-Information ⬚

> Na ja, er könnte mal in ... bei der Stadt-
> information anrufen, vielleicht kennen die die.

**c** **Zwei Minuten später kommt eine Antwort-E-Mail von Jan an alle.**
**Was bedeutet die Antwort? Kreuzen Sie an.**

> viva san francisco, junx\*. war ne geile zeit\*\*. guckt mal auf
> die seite hier http://preview.local.live.com - sind virtuelle
> stadtpläne von microsoft. sorry so kurz. muss wieder ran.
> habe die ehre, jan

\* junx = Jungs
\*\* umgangssprachlich: tolle Zeit

⬚ Er weiß, wo die gesuchte Kneipe ist, und gibt die Internetadresse an.
⬚ Er hat tolle Fotos vom Urlaub im Internet abgespeichert.
⬚ Er meint, die angegebene Internetseite würde Bert helfen.

AB 15, 16    WORTSCHAT

**d** **Was bedeuten die Sätze? Kreuzen Sie an.**

1 sorry so kurz

⬚ Tut mir leid, dass die E-Mail nicht länger ist.
⬚ Entschuldigung, dass ich mich erst heute zurückmelde.

2 muss wieder ran

⬚ Ich muss euch bald besuchen kommen.
⬚ Ich muss jetzt weiterarbeiten.
⬚ Ich muss jetzt in die Mittagspause gehen.

2.2

**a** Bert spricht mit Jan. Hören Sie das Gespräch und markieren Sie die richtige Antwort.

1 Wo befinden sich die beiden?
☐ im Chat  ☐ am Telefon  ☐ am Computer  ☐ am Computer und am Telefon (übers Internet)

2 Wie ist die Stimmung am Anfang des Gesprächs?
☐ Beide sind frustriert.  ☐ Einer ist frustriert, einer begeistert.  ☐ Beide sind begeistert.

3 Was geschieht am Ende?
☐ Bert gibt auf.  ☐ Jan gibt auf.  ☐ Bert erkennt den Wert der Info.
☐ Jan erkennt, dass es nichts bringt.

2.2

**b** Hören Sie noch einmal. Was bedeuten die folgenden Sätze
in diesem Gespräch? Ordnen Sie zu.

1 Was hast du mir denn da geschickt? ☐
2 Oh je! ☐
3 Verfluchte Technik! ☐
4 Meinetwegen. ☐
5 Quatsch. ☐
6 Und jetzt? ☐
7 Wie jetzt? ☐

a Da irrst du dich.
b Das habe ich nicht verstanden, wie soll ich jetzt weitermachen?
c Na gut, wollte ich zwar nicht, kann ich aber machen.
d Das, was du mir geschickt hast, ist nicht gut.
e Ich komme mit diesem Computer einfach nicht klar.
f Jetzt ist es wieder so weit.
g Und was soll ich jetzt machen?

**a** Ein Satz – mehrere Antworten.

AB 17 ➔ SÄTZE BAUEN

Welche Antworten passen? Ordnen Sie zu. Vergleichen Sie.
Es können mehrere Lösungen richtig sein.

| Satz | a | b | c | d | e |
|------|---|---|---|---|---|
| mögliche Antworten | | | | | |

a Rufst du mich an?
b Die Erde ist platt.
c Du, die Tür geht nicht mehr auf!
d Nein, hier rechts, nein, dort links, oder warte ...
e Krah-bumm, jetzt ist es kaputt.

1 Quatsch.
2 Wie jetzt?
3 Oje!
4 Und jetzt?
5 Meinetwegen.

**b** Spielen Sie jetzt die Situationen.

Gehen Sie auf die in C1c genannte Internetseite.
Wenn Sie kein Internet haben, lesen Sie den Artikel auf Seite 124. Tauschen Sie sich aus.

# D  Eintauchen in eine Geschichte

**D1**  Lesen Sie den Klappentext des Romans von Haruki Murakami
und beantworten Sie die Fragen. Was passt zu Hajime,
was zu Shimamoto? Kreuzen Sie an.

Hajime hat keinen Grund zum Klagen: Er ist Ende dreißig, verheiratet, hat
zwei Töchter und besitzt zwei erfolgreiche Jazzklubs in einem schicken
Tokioter Viertel. Trotzdem ist er unzufrieden und trauert der verpassten
Gelegenheit in seinem Leben nach, jenen Monaten, als er mit seiner
Jugendliebe Shimamoto Händchen hielt und bei Nat King Coles schmalzigen
Liedern ins Träumen geriet. Wie eine Halluzination taucht Shimamoto eines
Tages in seiner Bar auf, unfassbar und geheimnisumwoben. Sie erscheint immer an regnerischen
Abenden, wie aus einer fremden Welt. Die Frau mit dem bezaubernden Lächeln rührt verloren
geglaubte Seiten bei Hajime an. Er wird sein bisheriges Leben aufgeben oder …

| Hajime | Shimamoto | | Hajime | Shimamoto | |
|---|---|---|---|---|---|
| ☐ | ☐ | hat Familie. | ☐ | ☐ | ist faszinierend. |
| ☐ | ☐ | ist nicht glücklich. | ☐ | ☐ | träumt von der Jugendliebe. |
| ☐ | ☐ | weckt Erinnerungen. | ☐ | ☐ | ist geheimnisvoll. |

**D2**  Wie geht's weiter?

**a**  Was wird Hajime tun? Welche Möglichkeiten finden Sie wahrscheinlich?
Kreuzen Sie an.

☐ Er bleibt bei seiner Frau und seinem Leben.
☐ Er geht zu der anderen Frau und beginnt ein neues Leben.
☐ Er beginnt ein neues Leben, ohne die andere Frau.
☐ Er lässt das alte und das neue Leben verschmelzen.
☐ Es kommt alles ganz anders.

Er **wird** (wohl)
bei seiner Fra
**bleiben**.
GRAMMATIK 18

AB 18–23

SÄTZE BAUEN 2

**b**  Was ist Ihre Vermutung? Wie bewerten Sie die Situation? Sprechen Sie zu zweit.
Verwenden Sie auch folgende Wendungen und Ausdrücke.

Es ist doch immer wieder dasselbe / spannend / interessant:
Zuerst …, dann … ■ Ich denke/glaube, er wird wohl …

> Wie, glaubst du,
> geht es weiter?

> Also, ich denke,
> er wird wohl …

> Irgendwie ist es doch immer dasselbe:
> Zuerst wird … und dann …

**c**  Einigen Sie sich zu zweit oder zu dritt auf eine Variante aus a.
Entwickeln Sie dann Ihre Geschichte weiter. Sprechen Sie und machen Sie Notizen.
Verwenden Sie auch folgende Wendungen und Ausdrücke.

Was hältst du davon, wenn sie dann …, oder so ähnlich …? ■
Glaubst du wirklich, er …? ■ Ja klar, … ■
Na also, die Idee / der Gedanke wäre mir nie gekommen. ■
Das ist gut. Sehr gut sogar. ■ Alle Achtung! ■ Die Idee ist ja großartig. ■
Das glaube ich nicht. Dann würde er doch eher …

> Was hältst du
> davon, wenn er …

> Was? Na, also die Idee wäre mir
> ja nie gekommen! Das ist gut.
> Sehr gut sogar. Und dann …

Dann **würde** er
doch eher bei
seiner Frau
**bleiben**.
GRAMMATIK 24

AB 24–26

SÄTZE BAUEN 2
PHONETIK 26

**d**  Erzählen Sie Ihre Geschichte im Kurs.

*werden* hat drei Funktionen. Ordnen Sie jeweils eine den folgenden Sätzen zu.

**A** Hilfsverb (Passiv)      **B** Hilfsverb (Futur)      **C** Vollverb (eigene Bedeutung)

1 Hajime wurde erfolgreicher Besitzer zweier Jazzklubs.
2 Er wird seine Familie verlassen, davon bin ich überzeugt.
3 Wir wissen nicht, ob Hajimes Frau von ihrem Mann am Ende verlassen wurde.
4 Seine Frau wird ihn schon verstanden haben, sie kennt ihn doch gut.
5 Keine Frage, am Ende wird er unglücklich, das ist ganz klar.

**a** Lesen Sie die beiden Dialoge. Welche Antwort drückt jeweils aus,
dass der Sprecher etwas vermutet?

1 ◆ Wo ist Rosa?            ▼ Sie ist zu Hause.
                           ▼ Sie wird zu Hause sein.

2 ◆ Wie ist das Wetter morgen in Salzburg?   ▼ Es regnet den ganzen Tag.
                           ▼ Es wird den ganzen Tag regnen.

**b** Vergleichen Sie mit der Lösung auf Seite 137. Übersetzen Sie dann die Sätze
in Ihre Muttersprache. Welche Zeitformen werden da verwendet?

2.3

**a** Hören Sie die Sätze 1–12.

**b** Ordnen Sie den Sätzen dann die folgenden Kategorien zu und vergleichen Sie anschließend.

**A** etwas vermuten   **B** eine Vorhersage machen   **C** jemandem drohen   **D** sich etwas vornehmen
**E** eine Hoffnung ausdrücken   **F** jemanden auffordern, etwas zu tun   **G** etwas versprechen
**H** jemanden beruhigen

1 Sie werden jetzt schön im Bett bleiben und abwarten, bis Sie wieder gesund sind.
2 Ich denke, er wird wohl bei seiner Frau bleiben.
3 Er wird seinen Zug verpasst haben, das ist alles. Mach dir doch nicht immer so viele Sorgen.
4 Du wirst eine tolle Karriere machen, einen wunderbaren Mann treffen und viele schöne
und kluge Kinder haben.
5 Ab morgen werde ich jeden Morgen das Frühstück machen.
6 Wenn Sie sich nicht bei mir entschuldigen, das sage ich Ihnen, dann werde ich zum nächsten
Ersten kündigen.
7 Ich werde nicht mehr rauchen, weniger arbeiten, wieder mehr Sport treiben und das Wochenende
immer mit meiner Familie verbringen.
8 Er wird doch noch kommen, oder?
9 Er wird doch seine Frau nicht umgebracht haben, oder?
10 Du wirst jetzt dein Zimmer aufräumen, und zwar sofort.
11 Und das sag ich Ihnen, wenn das bis morgen nicht in Ordnung kommt,
dann werde ich zur Polizei gehen, jawohl, zur Polizei, irgendwo hat alles seine Grenzen.
12 Dir werd' ich helfen!

**a** Lesen Sie noch einmal die Sätze 1–12 in 3b. Wie ist es richtig? Kreuzen Sie an.

1 Mit **Futur I** drückt ein Sprecher aus,
   dass in der Zukunft etwas passiert oder so ist.
   dass der Sprecher vermutet / glaubt / hofft / …, dass etwas passiert oder so ist.

2 Mit **Futur II** drückt ein Sprecher aus,
   dass der Sprecher vermutet / hofft / …, dass etwas passiert ist oder so war.
   dass in der Zukunft etwas passiert und beendet ist.

**b** Beachten Sie.
Mit Wörtern wie *sicher, vermutlich, bestimmt, vielleicht, wohl* verstärkt der Sprecher
die Bedeutung von Futur I in seinen Sätzen.                    AB 32   ➤

# E  Alte Liebe rostet nicht.

**E1**  „Alte Liebe rostet nicht."
Was bedeutet dieses Sprichwort?

**E2 a**  Sehen Sie das Foto an. Was glauben Sie, wo Petra
Umlauf ist? Sammeln Sie Ihre Vorschläge.

2.4, 5

**b**  Hören Sie das Interview und antworten Sie.

1  Wo ist Petra Umlauf und was macht sie?
2  Von welcher alten Liebe wird hier gesprochen?

2.4, 5

**E3 a**  Ein Gespräch in Gang halten. Hören Sie das Gespräch noch einmal.
Welche Wendungen und Ausdrücke verwendet der Moderator?
Kreuzen Sie an.

1  ... für unsere Sammlung, deshalb seid ihr doch da.
2  Ihr seid also richtige Kassettenkinder?
3  Was? Ach so, ja, ich glaube, man könnte das so sagen.
4  Das ist ja unglaublich.
5  Wahnsinn.
6  Aber im Ernst, ihr hört doch eure Kassetten auch, oder?
7  Weißt du noch, welche deine erste Kassette war?
8  Meinst du die erste, die ich gehört habe?
9  Das war dann wohl das Gespensterschloss, oder?
10  Also muss es immer die Originalkassette oder -platte sein, oder?
11  ... was ist denn heute so dein Lieblingshörspiel?
12  Erinnert ihr euch an die Geschichte mit der Spieluhr?

Weißt du noch,
**welche ...?**
GRAMMATIK 27

AB 27–30

WORTSCHATZ 2
SÄTZE BAUEN 2
PHONETIK 30

**b**  Ordnen Sie die Sätze des Moderators den folgenden Kategorien zu.

a  Erstaunen ausdrücken: ................................................

b  Bestätigung suchen: ................................................

c  nach Informationen fragen: ................................................

**E4**  Lesen Sie beide Aufgaben und entscheiden Sie sich für A oder für B.

A *Astrid Lindgren* Pippi Langstrumpf

Sie möchten sich im
Kurs mit Ihren „Lieblingshelden" aus der Kindheit
beschäftigen. Dann lesen
Sie bitte die Aufgaben
auf Seite 134.

B

Sie möchten sich mit
dem Thema „Sammeln"
als Hobby beschäftigen.
Dann lesen Sie bitte
die Aufgaben auf
Seite 126.

# SMS-SPRACHE.de

Lesen Sie den Text und lösen Sie die Aufgabe. Kreuzen Sie an: richtig oder falsch.

akla =
alles klar

## SMS-Sprache.de

ILD =
Ich liebe Dich

Hallo! Wir begrüßen Dich auf SMS-Sprache.de. Auf unserer Seite kannst Du einen großen Teil der zurzeit verwendeten SMS-Sprache finden. Immer wieder kommen neue Abkürzungen dazu, sodass die SMS-Sprache auf unserer Seite täglich ausgebaut wird. Wie Du vielleicht durch die Presse mitbekommen hast, hatte vor einiger Zeit eine 13-jährige Schülerin sogar einen ganzen Aufsatz in SMS-Sprache abgegeben. Ein Skandal!
5 Der zuständige Lehrer war nicht nur verblüfft, sondern befürchtete, dass die SMS-Sprache die guten sprach-
lichen Sitten verdirbt. So weit wird es sicherlich nicht kommen. Aber eine stetige Zunahme und Beliebtheit in der Anwendung der SMS-Sprache ist auch nicht zu leugnen. SMS, Short Message Service, wie die kleinen Texte eigentlich heißen, haben gegenüber einem Telefonat zwei Vorteile: Sie sind meistens günstiger und können unbemerkt empfangen werden. Letzteres wissen insbesondere Verliebte in der Schule oder bei der
10 Arbeit sehr zu schätzen. Einziges Problem: Mit gerade mal 160 Zeichen lassen sich keine langen Liebesbe-
kenntnisse oder andere geheime Botschaften verfassen. Um dieser Misere zu entgehen, haben SMS-Schrei-
ber mit sehr viel Einfallsreichtum und Fantasie eine eigene SMS-Sprache entwickelt. Diese ist speziell auf die Zeichenknappheit ausgelegt und besteht mehr oder weniger aus Abkürzungen. So bedeutet das Kürzel „HDL"
– „Hab Dich lieb" oder „ILD" – „Ich liebe Dich". Mithilfe der Kürzel bleibt sogar genügend Platz für romanti-
15 sche Gedichte. In der Rubrik *Dein Vorschlag* kannst Du uns neue SMS-Abkürzungen, die Du in der Schule, am Arbeitsplatz oder in der Ausbildung aufgeschnappt hast, zumailen.

|  | r | f |
|---|---|---|
| 1 Auf dieser Internetseite geht es um die zurzeit verwendete SMS-Sprache. | ☐ | ☐ |
| 2 Skandalös fand ein Lehrer, dass eine seiner Schülerinnen einen Aufsatz in der SMS-Sprache verfasst hat. | ☐ | ☐ |
| 3 SMS-Sprache dient dazu, Freunden, Bekannten oder Vorgesetzten kurze Botschaften per Handy zu schicken. | ☐ | ☐ |
| 4 Es werden von offizieller Seite immer wieder neue Abkürzungen angeboten. | ☐ | ☐ |

Texte entschlüsseln

**a** Auf Seite 125 finden Sie eine Auswahl bekannter SMS-Abkürzungen.
Lösen Sie die folgenden beiden Nachrichten.

| | |
|---|---|
| STIMST | BIGLEZUHAU |
| KO2OMISPÄ | WAMADUHEU |
| BB | RUMIAN |
| ulla | Pet |

**b** Schreiben Sie „Nachrichten" auf einen Zettel. Tauschen Sie die „Nachrichten" aus.
Antworten Sie. Erfinden Sie bei Bedarf auch eigene Abkürzungen.

# In gemeinsame Welten eintauchen

SPRECHEN

**G**

Bringen Sie zur nächsten Unterrichtsstunde ein/Ihr Lieblingsbuch, eine/Ihre Lieblings-CD, eine/Ihre Lieblingszeitschrift oder einen/Ihren Lieblingsfilm mit. Das Ziel ist, dass Sie mit einem anderen Buch, mit einer anderen CD, Zeitschrift oder mit einem anderen Film nach Hause gehen. Schwärmen Sie von Ihrem Objekt, zeigen Sie Interesse für die Angebote der anderen, stellen Sie Fragen.

## Alltagsgespräche führen

### über Lieblingsbeschäftigungen sprechen

Ich könnte stundenlang Musik von ... hören.
Ich liebe es, mich in ... zu vertiefen.
Wenn ich mich in ... vertiefe, vergesse ich ...
Ich würde am liebsten ...

### Umgangssprache verstehen

Meinetwegen.
Und jetzt?
Wie jetzt?
Quatsch.
Oje!

### Vermutungen äußern

Ich denke, er wird wohl ...
Zuerst ..., und dann ...

### bewerten

Es ist doch immer wieder dasselbe / spannend / interessant.
Die Idee / Der Gedanke wäre mir nie gekommen.
Das ist gut. Sehr gut sogar.
Alle Achtung.
Die Idee ist ja großartig.

### gemeinsam eine Geschichte entwickeln

Was hältst du davon, wenn er ...?
Glaubst du wirklich, er ...?
Ja klar, ...
Das glaube ich nicht. Dann würde er doch eher ...

### ein Gespräch in Gang halten (nachfragen)

Erinnert ihr euch ...?
Das war dann wohl ...
Was ist denn heute so dein ...?
Weißt du noch, wie / wann / welche ...?

## Verben und Ausdrücke mit festen Präpositionen

### Beispiele

Sie hat die ganze Zeit nur **von** dir **gesprochen**.
Merkst du das? Die **sprechen** die ganze Zeit **über** uns!
Könnte ich bitte **mit** Frau Dr. Kuntze **sprechen**?

*weitere Verben:*

| | | |
|---|---|---|
| es geht um | achten auf | angewiesen sein auf |
| eintauchen in | sich freuen auf/über | stolz sein auf |
| sich vertiefen in | sich konzentrieren auf | sich vorbereiten auf |
| arbeiten als/an | sich interessieren für | |

### Wortstellung

| Satzanfang | Verb 1 | | Satzende Ergänzung mit Präposition | Verb 2 |
|---|---|---|---|---|
| Es | geht | hier | um uns. | |
| Alle | haben | sich | auf diese Sache | konzentriert. |
| Heute | haben | sie wieder | über das Problem | gesprochen. |

### Fragewort und Präpositionaladverb

**Worüber** hast du gesprochen? –
(Ich habe) Nur **über das Wetter** (gesprochen). –
Ach so, **darüber** (hast du gesprochen).

**Über wen** hast du gesprochen? –
(Ich habe) **Über niemanden** (gesprochen). –
Ach so, also nicht **über mich**.

| | |
|---|---|
| **Wo**(r) + *Präposition* | **da**(r) + *Präposition* |
| | |
| bei Personen | |

## Futur I: verschiedene Verwendungen

Beispiele im Kontext

| | |
|---|---|
| Es **wird** sicher gut **gehen**. | Beruhigung |
| Sie **wird** jetzt zu Hause **sein**. | Vermutung |
| Das Klima **wird** sich **verändern**. | Vorhersage |
| Sie **werden** dieses Zimmer **verlassen**, sonst passiert etwas! | Drohung |
| Und ab morgen **werde** ich jeden Tag ins Fitnessstudio **gehen**. | (guter) Vorsatz |
| Du **wirst** mich nicht **verlassen**, oder? | Hoffnung |
| Sie **werden** das jetzt **erledigen**. | (unfreundliche) Aufforderung |
| Ja, ja, ich **werde** im Haushalt **mithelfen**. | Versprechen |

## Futur II: Vermutung, Hoffnung und Beruhigung

Der Zug **wird** schon **gekommen sein**.
Es **wird** hoffentlich alles gut **gegangen sein**.
Es **wird** alles gut **gegangen sein**.

Ich **vermute**, der Zug *ist* schon *gekommen*.
Ich **hoffe**, alles *ist* gut *gegangen*.
Sei ganz **beruhigt**, alles *ist* gut *gegangen*.

### Formen

| Singular | | Plural | |
|---|---|---|---|
| er/sie/es | wird geschlafen haben | sie/Sie | werden geschlafen haben |
| er/sie/es | wird gekommen sein | sie/Sie | werden gekommen sein |

## Ergänzungssätze: indirekte Frage nach einer Frage

| | Konjunktion | | Verb | |
|---|---|---|---|---|
| Weißt du, | **ob** | er morgen | *kommt?* | ebenso: *wer, wo, warum,* |
| | **wann** | er morgen | *kommt?* | *wie, wozu, womit* usw. |

## Personalpronomen: *es*

**obligatorisches *es*: gemeinsames Wissen (Situation, Erlebnisse, Erfahrungen ...)**

◆ Na, wie läuft's denn so?
▼ Ganz gut, wir haben die ersten drei Spiele gewonnen.

# Geschichte lässt …

sich nicht umkehren. Oder? Berlin hat sich eine große Aufgabe gestellt, die in den Medien heftig diskutiert wurde. Man fragt sich vielleicht zu Recht, warum ein Schloss, das nicht mehr steht, wieder aufgebaut werden muss. Ob nicht gerade das Nicht-mehr-Vorhandensein des Berliner Schlosses ein fester Punkt des historischen Gedächtnisses sein könnte? Oder sollte nicht doch lieber das Gebäude, das jetzt dort steht, wo das Schloss einmal gestanden hatte, als Mahnmal für künftige Generationen erhalten bleiben, statt dass es nun dem geplanten neuen „alten" Berliner Schloss weichen muss?
Das Berliner Schloss, ein Gebäude in einer Stadt, das die Geschichte eines Landes, ja, und auch zweier Länder symbolisiert. Neugierig geworden?

Schloss Berlin: Modell von Horst Dühring

Palast der Republik

freigelegte Kellerger

Teile des Schlosses werden rekonstruiert.

Lösungen erörtern +++ Probleme beschreiben, Lösungen erörtern +++ Probleme beschreiben, Lösungen erörtern +++ Probleme be

+++ Probleme beschreiben, Lösungen erörtern **Probleme beschreiben, Lösungen erörtern** +++ Probleme

erörtern +++ Probleme beschreiben, Lösungen erörtern +++ Probleme beschreiben, Lösungen erörtern +++ Probleme beschreiben,

# Gewinnen **6**

**B**

**A**

**D**

**C**

**1** Was kann man wann und wo gewinnen?

**2** Was haben die Fotos wohl mit *gewinnen* zu tun?

**Lernziel: Probleme beschreiben, Lösungen erörtern**

Informationen detailliert und korrekt weitergeben
Informationen und Sachverhalte erklären
einen formellen Brief schreiben (Leserbrief)
Sachverhalte kontrovers darstellen
einen Lösungsvorschlag erarbeiten
Zweifel und/oder Zustimmung äußern

**Textsorten**

Preisausschreiben   Wettkampfregeln
Beiträge im Internetforum   Zeitschriftenartikel
Zeitungsartikel   Sportübertragung
Radio-Feature   Radiobeitrag

# Gewonnen?

**A**

**a** Lösen Sie das folgende Preisausschreiben zu zweit.

**Haben Sie ein bisschen Zeit? Und eine hilfsbereite Person (Freund oder Freundin) zur Seite? Dann machen Sie mit bei unserem Preisausschreiben! Finden Sie ein „Wort", das drei deutschsprachige Länder enthält. Beantworten Sie dann auch die Frage.**

8 ✗

**Wie heißt das vierte deutschsprachige Land?**

nicht hinten oder vorn,
nicht oben oder unten,
nicht links oder rechts,
nicht hier, sondern ...

— — — —

manchmal spitz, manchmal rund,
dann wieder eckig oder flach,
aber immer oben auf Wänden

**Schicken Sie uns Ihre Lösungen und kreuzen Sie an, welchen Gewinn Sie gern hätten:**

- [ ] 4.000 Euro in bar
- [ ] einen Monat lang Luxus-Frühstück ans Bett
- [ ] eine Woche Überlebenstraining in den Hochalpen
- [ ] einen Porsche 911 für ein Wochenende mit Fahrtraining
- [ ] ein Überraschungswochenende mit Überraschungsgast an einem Überraschungsort

Einsendeschluss 1.4 200⸍

**b** Welchen Gewinn kreuzen Sie an? Einigen Sie sich zu zweit.

Mir wäre das Geld
am liebsten.

Also ich bin mehr
für Überraschungen.

Was soll ich
denn mit ...

**c** Nehmen Sie an echten Preisausschreiben teil? Warum? Warum nicht?
Haben Sie schon einmal etwas gewonnen?

**B1** a Notieren Sie drei Sportarten, die Sie interessieren.

b Ordnen Sie im Kurs die Sportarten den folgenden Kategorien zu.

| Mannschafts-sport | Einzel-sport | Breiten-sport | Leistungs-sport | Sommer-sport | Winter-sport | Freiluft-sport | Hallen-sport |
|---|---|---|---|---|---|---|---|
| Fußball | | Fußball | | | | Fußball | |

AB 1–4     WORTSCHA

**B2** a Olympia von morgen? – Auch das ist Sport.

Bilden Sie Vierergruppen. Entscheiden Sie sich für eine der folgenden Sportarten –
jeder in der Gruppe für eine andere. Wie wird die Sportart ausgeübt? Was glauben Sie?
Notieren Sie Ihre Vorstellungen auf dem Notizzettel unten.

Bierfassrollen

Extrembügeln

Sumpffußball

Handy-Weitwurf

Kategorie/n: .......................................................................................

Ziel der Sportart/ der Wettkämpfe / des Spiels: .................................

Wo wird der Sport ausgeübt? ...............................................................

Wer spielt miteinander / gegeneinander? ............................................

Regeln:  Was ist erlaubt? .....................................................................

Was ist verboten? .................................................................

Wann oder wofür wird man disqualifiziert? ...........................

Gewonnen hat, wer ... / Gewonnen hat die Mannschaft, die .........................

AB 5, 6

*gegeneinande*
*miteinander*
GRAMMATIK

2.6–9

b Hören Sie dann die Live-Sportübertragungen vom „Tag des alternativen Sports".
Ergänzen und korrigieren Sie dabei Ihren Notizzettel zu Ihrer Sportart.

AB 7–14

Gewonnen hat
die Mannsch
*die ...*
GRAMMATIK 7

c Wenn Sie möchten, können Sie die Regeln nachlesen und
mit Ihren Ergebnissen vergleichen (A Seite 129; B Seite 123; C Seite 122; D Seite 127).

SÄTZE BAUEN
TEXTE BAUEN

d Erklären Sie die Sportart in der Gruppe.
Verwenden Sie Ihre Informationen sowie auch folgende Wendungen und Ausdrücke.

Gewonnen hat, wer ... / Gewonnen hat die Mannschaft, die ... /
  der Spieler, der ... / das Team, das ...
Wer ..., wird sofort disqualifiziert.
... spielt gegeneinander / miteinander ...
Es ist verboten, ...

Sumpffußball ist ein Mannschaftssport. ...

# Fokus Grammatik: Relativsätze verstehen

**a**  **Lesen Sie die folgenden Sätze. Achten Sie auf die Relativsätze.**

1 *Eine Mannschaft*, die die andere Mannschaft irgendwie behindert, wird sofort disqualifiziert.

2 *Die Mannschaft* ist Wettkampfsieger, die mit der besten Zeit das Ziel erreicht.

3 An *Orten*, an denen keine elektrische Stromversorgung zur Verfügung steht oder genutzt werden kann, wird das Bügeleisen auf andere Art erhitzt.

4 Extrembügeln als Sportart gibt es in verschiedenen *Disziplinen*, die jeweils nach den *Orten* benannt werden, an denen der Wettkampf ausgetragen wird.

5 Nein, nicht alle, nur *die Frauen* haben sich beim Weltverband beschwert, denen die Teilnahme an dem gestrigen Sumpffußball-Cup verboten wurde.

**b**  **Sich an Regeln erinnern.**

Die Relativsätze mit *der/die/das/...* definieren/charakterisieren eine bestimmte Sache, bestimmte Orte, eine bestimmte Person usw.

**c**  **Übersetzen Sie die Sätze 1–5 in Ihre Muttersprache.**

**Lesen Sie den Text und ergänzen Sie.**

die ● denen ● die ● die ● deren ● denen

„Ich treffe mich öfter mit Leuten, ............. sich auch für Jazz interessieren und mit ............. man auch schon mal für ein paar Tage auf ein Festival fahren kann. Meistens sind das auch Menschen, für ............. teure Hotels nicht so wichtig sind und ............. es nichts ausmacht, auch mal im Freien im Schlafsack zu übernachten. Das ist mir sehr sympathisch. Interessant, dass im Gegensatz zu Pop-Konzerten da oft auch ältere Fans mitmachen. Das sind dann meist Leute, ............. schon so gut wie überall auf der Welt waren und in ............. CD-Sammlung einfach nichts mehr fehlt."

**a**  **Lesen Sie die folgenden Sätze.**

1 Gewonnen hat, wer seine Wäsche am ordentlichsten gebügelt und zurückgebracht hat.

2 Wo man keinen Stromanschluss hat, muss man das Bügeleisen anders aufheizen.

3 Wer sein Bügeleisen, sein Bügelbrett oder seine Wäsche verliert, scheidet aus.

4 Was der Schiedsrichter nicht gesehen hat, kann er auch nicht beurteilen.

**b**  **Die Relativpronomen *wer*, *wo* und *was* verstehen.**
**Welcher Satz bedeutet ungefähr dasselbe? Kreuzen Sie an.**

1 Wer sein Bügeleisen verliert, scheidet aus.
  a Alle Personen, die ihr Bügeleisen verlieren, scheiden aus.
  b Einige Personen, die ihr Bügeleisen verlieren, scheiden aus.

2 Wo man keinen Strom hat, muss man das Bügeleisen anders aufheizen.
  a An allen Orten, an denen es keinen Strom gibt, muss man das Bügeleisen anders aufheizen.
  b An manchen Orten, an denen es keinen Strom gibt, muss man das Bügeleisen anders aufheizen.

3 Was der Schiedsrichter nicht gesehen hat, kann er nicht bestrafen.
  a Einige Regelverstöße, die der Schiedsrichter nicht gesehen hat, kann er nicht bestrafen.
  b Alle Regelverstöße, die der Schiedsrichter nicht gesehen hat, kann er nicht bestrafen.

**c**  **Gibt es in Ihrer Muttersprache die Relativpronomen *wer* / *wo* / *was*?**
**Wie würde man die Sätze 1–4 in Ihrer Muttersprache formulieren?**

**Lesen Sie die Sätze und entscheiden Sie: Welches Relativpronomen passt?**

1 ............. regelmäßig Sport treibt, tut etwas für seine Gesundheit und für seine Seele.

2 ............. täglich mit dem Fahrrad zur Arbeit fährt, tut nicht nur etwas für sich, sondern auch etwas für die Umwelt. Aber Achtung, ............. es keine sicheren Radfahrwege gibt, da sollten die Fahrradfahrer sehr vorsichtig sein oder lieber gleich eine andere Strecke wählen.

3 ............. Hänschen nicht lernt, lernt Hans nimmermehr.

AB 36

# C Es muss nicht immer joggen sein

**C1** Lesen Sie diesen Beitrag aus einem Internetforum und lösen Sie die folgenden Aufgaben.

> Forum: **gesundes Leben: Sport**
> Titel: **ich hasse schwitzen**
> Autor: **Sindie**
> Datum: **01.09. – 21:04**
>
> **Hallo Ihr Lieben,**
> heute melde ich mich mit einer komischen Frage bei Euch, aber im Ernst, das Thema beschäftigt mich schon länger und ich komme nicht weiter.
> Ich kenne natürlich tausend gute Gründe, Sport zu treiben, aber es gelingt mir einfach nicht, eine Sportart zu finden, die mir Spaß macht und die ich regelmäßig über einen längeren Zeitraum betreibe. Wenn ich mich mal sportlich betätige, fühle ich mich danach natürlich wunderbar. Aber das motiviert mich noch lange nicht, mich zwei, drei Tage später wieder aufzuraffen.
> Klar, dass mein Freund und eigentlich alle um mich herum regelmäßig Sport treiben. Je nach Lust und Laune gehen die Rad fahren, joggen, schwimmen und was weiß ich.
> Sie lieben diese Anstrengung, das Schwitzen, das Duschen danach – und ich bekomme schon allein bei dem Gedanken daran, dass ich schwitzen könnte, die Krise.
> Ich hasse es, zu schwitzen. Und daran ändert die Aussicht aufs Duschen gar nichts (Sauna hasse ich übrigens auch).
> Ich bin auch nicht besonders stolz auf mich, wenn ich mich dann doch einmal überwinde. Selbst diese Selbstüberwindung wirkt auf mich nicht motivierend.
> Ich habe schon viele Sportarten ausprobiert – aber es war einfach nichts dabei, was mich bei der Stange hält. Hauptsächlich wegen der Anstrengung und wegen des Schwitzens …
> Fällt Euch dazu was ein?
>
> **Eure Sindie**

**1** Was ist richtig? Kreuzen Sie an.

a Sindie hat schon viele Sportarten ausprobiert und weiß nicht, für welche sie sich entscheiden soll. ⬚

b Sindie hat schon viele Sportarten ausprobiert und kann sich irgendwie für keine so richtig begeistern. ⬚

**2** Lesen Sie die Fragen. Suchen Sie die Antworten im Text und sprechen Sie.

a Was sagt Sindie über ihr eigenes Verhältnis zum Sport?

b Was sagt Sindie über das Verhältnis ihrer Freunde zum Sport?

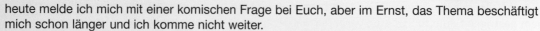

… Gründe,
Sport **zu** trei
ich hasse es,
… **zu** …

AB 15, 16    GRAMMATIK

**C2** Sport ist nicht gleich Sport. Sissi, Hans, Cornelia und Dr. Grötz haben auf Sindies Problem reagiert.

**a** Welche Alternativen bieten sie an? Unterstreichen Sie sie.

**A** Stimmt, Fitness bedeutet fast immer Aufwand, Anstrengung, Schwitzen, Duschen. Spazieren gehen hält jedoch fit – ohne dass man schwitzen muss. Jeden Tag eine Stunde, am besten sogar mit dem Schrittzähler.

**Dr. X. Grötz, Internist**

**C** Na ja, ich bin eher der richtig harte Sportler: Gewichtheben ist meine Hauptdisziplin, dabei muss ich natürlich auch joggen und schwimmen, damit ich insgesamt fit bleibe. Und eine Menge Krafttraining muss ich auch machen, also jeden Tag ab ins Fitnessstudio, nach dem normalen Training – körperliche Anstrengung vom Feinsten. Nichts für Dich, ist schon klar. Bei Yoga muss man sich dagegen nicht anstrengen, um fit zu bleiben. Kann man überall machen: einfach hinlegen und los geht's. **Hans**

**B** … Im Gegensatz zum normalen Sporttraining nehmen wir unseren Sport nicht so tierisch ernst, wir üben zweimal die Woche in unserer Volkstanzgruppe. Das ist schon wegen der Musik richtig fröhlich. Danach gehen wir immer noch gemeinsam essen. … **Sissi**

**D** Also, keine Ahnung, ob meine Art, Sport zu machen, Dir zusagt. Pass auf: Während man bei anderen Sportarten beim Training seine kostbare Zeit vertrödelt, mache ich was echt Sinnvolles. Und – neugierig geworden? – Ich putze. Im Ernst. Es gibt für Staubsaugen, Staubwischen, Fensterputzen usw. richtig gute Bewegungen. – Na ja, ein bisschen schwitzen tut man schon, aber meine Wohnung war noch nie so sauber!! **Cornelia**

**b** Lesen Sie die Zuschriften A–D noch einmal und ergänzen Sie die Tabelle.

| Sport | Nachteile für Sindie | Alternative | Vorteile für Sindie |
|---|---|---|---|
| **A** Fitness: | schwitzen, anstrengen | .................... | .................... |
| **B** Sporttraining: | .................... | .................... | .................... |
| **C** Krafttraining: | .................... | .................... | .................... |
| **D** Training: | .................... | .................... | .................... |

adversative
Angaben
GRAMMATIK 17–23

AB 17–26

PHONETIK 24
TEXTE BAUEN 25, 26

**c** Welche Argumente haben die Verfasser gegenübergestellt?
Schreiben Sie.

Während ■ dagegen ■ Im Gegensatz zu ■ jedoch ■ aber

Während man bei ....................................................................

Bei ....................................................................

....................................................................

....................................................................

....................................................................

**d** Schreiben Sie eine Antwort an Sindie.
Schreiben Sie etwas zu folgenden Punkten:

- Sindies allgemeine Haltung zu Sport
- alternative Sportart für Sindie (Verwenden Sie die Argumente aus b.)
- ein anderes Hobby
- eigene Erfahrungen

| Titel: | Re: ich hasse schwitzen |
|---|---|
| Autor: | |
| Datum: | |

Hallo,
Du schreibst, dass ...

# Fokus Grammatik: Adversative Angaben – Gegensätze darstellen

**1** Sie haben verschiedene Möglichkeiten, Gegensätze darzustellen.
Welche Wörter werden dafür in den folgenden Sätzen verwendet? Markieren Sie.

1 „Im Gegensatz zu den meisten Männern in meiner Familie findet mein Freund Sport einfach nur langweilig."

2 Während ich ja Sport nur mache, weil ich aus gesundheitlichen Gründen Sport treiben muss, ist meine Frau eine begeisterte Sportlerin.

3 Eigentlich tut man mit einem Fitnessprogramm nur seinem Körper etwas Gutes, macht man aber jeden Tag Yoga, tut man auch etwas Gutes für seine Seele.

4 „Dass Wintersport insgesamt nicht ansprechend ist, kann man so pauschal nicht sagen. Skifahren ist doch ein wirklich eleganter Sport, Snowboarden ist jedoch, da haben Sie recht, ein grober und wilder Sport."

5 „Fußball ist doch stinklangweilig! Basketball ist dagegen spannend, aufregend und … also, das begleitet einen halt ein Leben lang."

**2** **a** Adversative Angaben im Satz. Wo können die folgenden Ausdrücke und Wörter stehen? Ergänzen Sie und vergleichen Sie.

im Gegensatz zu ▪ während ▪ aber ▪ jedoch ▪ dagegen

**am Anfang eines Hauptsatzes oder eines Nebensatzes**

1 ...................... mein Freund gern süße Sachen isst, esse ich lieber scharfe Sachen.

2 ...................... meinem Freund schmecken mir süße Sachen überhaupt nicht.

3 Mein Freund isst sehr gern Torten, Kuchen und auch Schokolade, ...................... ich lieber Käse und Salami esse.

4 Mein Freund ist ganz wild auf Süßigkeiten, ...................... ich mag sie einfach nicht.

**im Satz**

5 Ich esse gern scharfe und würzige Sachen, mein Freund ...................... lieber Süßigkeiten.

6 Ich esse gern scharfe und würzige Sachen. Mein Freund mag ...................... lieber Süßigkeiten.

2.10
**b** Hören Sie nun die möglichen Lösungen und vergleichen Sie. Achten Sie auf die Betonung.

**c** Wie ist es richtig? Kreuzen Sie an.

1 *während* steht am Anfang ☐ eines Hauptsatzes. ☐ eines Nebensatzes.

2 *Im Gegensatz zu* bezieht sich ☐ immer auf ein Nomen. ☐ kann auch eine Konjunktion sein.

3 *aber* steht am Anfang eines ☐ Nebensatzes. ☐ eines Hauptsatzes.

4 *aber / dagegen / jedoch* ☐ können hinter dem Verb stehen. ☐ können nicht hinter dem Verb stehen.

**3** Was passt? Ergänzen Sie die Ausdrücke und Wörter aus 2. Vergleichen Sie dann.

1 ................ die meisten Menschen sich unter Urlaub einen Urlaub im Süden oder in fernen Ländern vorstellen, gibt es doch immer mehr Menschen, die ihre „schönste Zeit" im Jahr in ihrem Heimatland verbringen wollen.

2 Meine Frau und ihre Eltern sind verzweifelt, weil ich seit drei Monaten arbeitslos bin. Ich *sehe*........ ................ vor allem meine Möglichkeiten: Ich kann jetzt Ruhe finden und für neue Aufgaben Kraft sammeln.

3 ................ den meisten Sängern der Popbranche habe ich eine klassische Musikerausbildung.

AB 37 ➡

# Zeit gewonnen?

**2.11**

Was macht man so den lieben langen Tag?

**a** Lesen Sie die Aufgabe.
Hören Sie dann den ersten Abschnitt eines Radio-Features und lösen Sie die Aufgabe.
Was ist richtig? Kreuzen Sie an.

In dem Feature geht es darum,
1 dass man in Zukunft weniger arbeiten muss, um mehr Zeit zu haben. ☐
2 dass einige Menschen zu viel Zeit haben. ☐
3 dass es eine Methode gibt, die Zeit gut zu organisieren. ☐
4 dass man weniger tun soll, um genug Zeit zu haben. ☐

**b** So sieht das persönliche Zeitdiagramm eines Studenten aus Deutschland aus,
der an einer Studie zum Thema „Zeitmanagement" teilnahm.
Wohin gehören wohl die folgenden Begriffe in der Grafik: *Schlaf, Freunde, Sport, Job*?
Ordnen Sie zu.

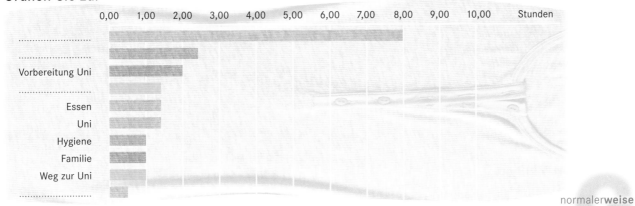

normaler**weise**
GRAMMATIK 27, 28

**2.12**

**c** Hören Sie die Lösung und vergleichen Sie.

AB 27–33

**d** Was machen Sie an einem Werktag (Arbeit, Studium, Schule)?
Wie viele Stunden verbringen Sie mit den jeweiligen Tätigkeiten?
Notieren Sie, sprechen Sie und vergleichen Sie.

WORTSCHATZ 29–31
SÄTZE BAUEN 32, 33

> Normalerweise stehe ich um acht auf,
> dann frühstücke ich erst mal und
> geh' so um neun ... Mir genügen
> eigentlich fünf Stunden Schlaf.

> Im Gegensatz zu
> dir brauche ich
> mindestens acht
> Stunden Schlaf.

*Schlafen: 6 Stunden*
*Essen:*

**2.13**

**a** Was ist Ninas Problem? Hören Sie und notieren Sie.

# D Zeit gewonnen?

**b** Lesen Sie den folgenden Text mit den Expertenmeinungen zum Thema „Zeitmanagement".
Welcher Ratschlag erscheint Ihnen hilfreich, das Problem „Zeit" zu lösen? Kreuzen Sie an.

**Sie sind vollkommen überlastet? Wissen nicht, wo Sie die Zeit hernehmen sollen, die Sie brauchen? Lesen Sie, was unsere Experten dazu meinen. Wir sind nicht alle gleich: Welche Sichtweise oder Vorgehensweise Ihrer Persönlichkeit mehr entspricht, das müssen Sie schon selbst entscheiden.**

A

Gernhardt Manfred
Arbeitspsychologe

**W**ir müssen uns an feste Arbeitszeiten gewöhnen und die dann ganz genau einhalten. Besonders schlecht ist es, wenn wir je nach Laune oder Notwendigkeit diese Pläne immer wieder spontan ändern. Der Plan, an den wir uns nicht halten, ist das Papier nicht wert, auf dem er steht.

Karla Schnell
Familientherapeutin

**G**enauso wichtig ist es, penibel Buch zu führen: Welche Tätigkeiten habe ich erledigt, wie viel Zeit habe ich benötigt? Das Ganze hat aber natürlich nur dann wirklich Sinn, wenn man sich nicht in die eigene Tasche lügt, sondern sich selbst gegenüber absolut ehrlich ist.

B

Ulla Pürschel
Kreativberaterin

**M**ach die Hälfte: Schreiben Sie eine Liste mit all den Dingen, die Sie heute unbedingt erledigen wollen. Streichen Sie ganz spontan die Hälfte. Noch immer zu viel? Streichen Sie noch einmal die Hälfte. Und so weiter.

Franziska Grote
Sporttrainerin

**W**er sein Tempo drosselt und den Alltag „entschleunigt", wird nicht langsamer, sondern arbeitet effektiver und effizienter und lebt besser und zufriedener.

C

Hans Martin
Pfarrer

**E**in Mittagsschläfchen im Leistungstief nach dem Mittagessen ist lernpsychologisch äußerst wertvoll. Allerdings sollte maximal eine halbe Stunde reichen.

Carl-August Böhm
Lernpsychologe

**Z**eitmanagement beinhaltet auch das Beseitigen von Störungen. Dazu gehören vor allem Unordnung am eigenen Arbeitsplatz, schlechte Zeiteinteilung, Langsamkeit, Scheinarbeit und ungenügende Fertigkeiten, z.B. am Computer.

**c** Vergleichen Sie die Vorschläge der Experten im Kurs.
Verwenden Sie auch die folgenden Wendungen und Ausdrücke.

Mir scheint der Vorschlag von … gut zu sein.
… man könnte es nicht besser sagen.
Mit dieser Sichtweise kann ich gar nichts anfangen.
Ich bezweifle, dass …
Ich glaube (kaum), dass …

AB 34, 35  SÄTZE BAUEN

> Mir scheint der Vorschlag
> der Sporttrainerin besonders
> wertvoll zu sein. Wir tun zu
> viel, haben keine Ruhe ...

> Also, mit dieser
> Sichtweise kann ich
> gar nichts anfangen.
> Ich bezweifle, dass ...

**d** Neuer Tagesablauf für Nina. Welche Vorschläge und Hinweise der Experten könnten Ninas Problem lösen? Was meinen Sie? Sprechen Sie zu zweit. Machen Sie Notizen.

**e** Stellen Sie Ihr „Programm für Nina" im Kurs vor, die anderen bewerten es.

## Ihre Lösungen sind gefragt

**Mehr Abstand, bitte!**

**a** Arbeiten Sie in zwei Gruppen. Jede Gruppe wählt einen Text.

Text 1: In diesem Text geht es um ein Problem im Straßenverkehr. Sie finden ihn auf Seite 127.
Text 2: In diesem Text geht es um ein Problem im Arbeitsalltag. Sie finden ihn auf Seite 128.

**b** Lösen Sie die Aufgaben zu Ihrem Text.

**c** Tragen Sie der anderen Gruppe vor, worum es in Ihrem Text geht.
Was ist das beschriebene Problem? Welche Lösungsmöglichkeiten haben Sie gefunden?
Notieren Sie diese an der Tafel. Die andere Gruppe bewertet Ihre Lösungsvorschläge.

**Der Fluch der Millionen**

**a** Lesen Sie die Pressemeldung aus einer Zeitung.

### Frau von Lottogewinn genervt

Braunschweig: Eine alleinerziehende Mutter von drei minderjährigen Kindern kündigte an, ihren Millionengewinn aus dem Lotto zurückzugeben. Durch eine Indiskretion war die Information über ihren Gewinn mit vollem Namen und mit Adresse an die Öffentlichkeit geraten. Seither kam die Familie nicht mehr zur Ruhe: Telefonanrufe, Spendenaufrufe, Finanzberater, alte und neue Freunde. Zweimal wurde in die Wohnung bereits eingebrochen und – mit am schlimmsten – auch die Kinder wurden beinahe täglich von Journalisten belästigt, die ihre „Exklusivstory" haben wollten. Mit dem Einzug der Millionen war der Friede ausgezogen. Entnervt gibt die Frau nun auf.

**b** Schreiben Sie Ihre Meinung zu dieser Pressemeldung.
Bearbeiten Sie dabei folgende Fragen:

– Welche Probleme hat die Familie?
– Welche Rolle haben die Medien gespielt?
– Welche Lösungsmöglichkeiten gibt es?
– Welche Lösung würden Sie persönlich bevorzugen?

**c** Tauschen Sie Ihre Texte aus. Lesen Sie und unterstreichen Sie besonders gelungene Stellen.
Markieren Sie die Stellen, die Sie nicht verstehen. Sind alle Punkte behandelt?
Welche Wendungen und Ausdrücke aus dieser Lektion kommen vor?

Probleme beschreiben, Lösungen erörtern

### Regeln erklären

Gewonnen hat die Mannschaft, die ...
Gewonnen hat, wer ...
Wer ..., wird sofort disqualifiziert.
... spielt gegeneinander / miteinander ...
Es ist verboten, ...
Es ist (nicht) erlaubt, ...
Die Sportart wird in der Halle / ... ausgeübt.

### Argumente gegenüberstellen

Während man bei anderen Sportarten beim Training seine kostbare Zeit vertrödelt, ...
Bei Yoga dagegen / jedoch muss man sich nicht anstrengen, ...
Im Gegensatz zum normalen Sporttraining ...
..., aber meine Wohnung war noch nie so sauber.

### einen Tagesablauf beschreiben

Normalerweise stehe ich um acht Uhr auf, ...
Ich arbeite / lerne / ... jeden Tag so ungefähr ... Stunden.
Für die Hausarbeit / ... genügen mir eigentlich ...
Für meinen Weg zur Schule / ... brauche ich in der Regel nicht länger als ...
... schaffe ich in ... Stunden / ...
Im Allgemeinen gehe ich mittwochs / ... zum Sport / ...
Fürs Fernsehen / ... bleibt (mir) eigentlich nicht mehr viel Zeit / bleibt (mir) genügend Zeit.

### Zweifel / Zustimmung äußern

Mir scheint der Vorschlag von ... gut zu sein.
... man könnte es nicht besser sagen.
Mit dieser Sichtweise kann ich gar nichts anfangen.
Ich bezweifle, dass ...
Ich glaube (kaum), dass ...

## Relativsatz

### Verwendung: Attribut

definiert, charakterisiert eine bestimmte Sache / bestimmte Orte / eine bestimmte Person / ...

Sumpffußball ist eine Sportart,

| | |
|---|---|
| die spannend *ist* und bei der man sehr schmutzig werden *kann*. | Charakterisierung |
| die von zwei Mannschaften auf einem Sumpf- oder Matschfeld gespielt *wird*. | Definition |
| die nicht zu den olympischen Disziplinen *gehört*. | zusätzliche Information |

| | |
|---|---|
| **nennt eine Bedingung / Bedingungen** | |
| Wer einen anderen Spieler *behindert*, wird sofort vom Platz gestellt. | jeder, der das tut |
| Wo es kein Sumpf- oder Matschspielfeld *gibt*, kann Sumpffußball nicht gespielt werden. | |

### Wortstellung: Verb am Ende (Nebensatz)

| Bezugswort (Komma) | Relativpronomen | | Verb |
|---|---|---|---|
| ein Spiel, | das | abwechslungsreich und spannend | ist |
| Orte, | an denen | man Sumpffußball nicht | spielen kann |

## Relativpronomen

### Relativpronomen der/die/das/ ...

| | Singular (m, f, n) | Plural |
|---|---|---|
| Nominativ | der, die, das | die |
| Akkusativ | den, die, das | die |
| Dativ | dem, der, dem | denen |
| Genitiv | dessen, deren, dessen | deren |

| | |
|---|---|
| Sumpffußball kann man nicht an allen Orten spielen. | Bei Ausdrücken mit Präpositionen: |
| Es gibt Orte, an denen man Sumpffußball nicht spielen kann. | Präposition + Relativpronomen |

### Relativpronomen wer/wo/was

Wer dieses Spiel nicht *mag*, muss es ja nicht anschauen.

Was der Schiedsrichter *entscheidet*, ist zu respektieren.

Wo es keine Sumpfflächen *gibt*, kann man Sumpffußball nicht spielen.

## Adversative Angaben: Gegensätze darstellen

### mit Konjunktionen

Während ich Sport nur aus gesundheitlichen Gründen *mache*, ist meine Frau eine begeisterte Sportlerin.

Ich mache Sport nur aus gesundheitlichen Gründen.

   Aber meine Frau ist eine begeisterte Sportlerin.

   Meine Frau ist dagegen/jedoch eine begeisterte Sportlerin.

### mit festen Ausdrücken mit der Präposition *zu*

Im Gegensatz zu meiner Frau mache ich Sport nur aus gesundheitlichen Gründen.

## Pronomen: Präposition + *einander*

| | |
|---|---|
| Zuerst spielen Team C und Team A gegeneinander, dann Team B und D. | (Bedeutet: Zuerst spielt Team C gegen |
| Ich dachte, unsere Teams spielen miteinander statt gegeneinander. | Team A, danach Team B gegen Team D.) |

## Ergänzung: Infinitiv mit *zu*

Ich hasse es, zu schwitzen.

Es ist gesund, zu schwitzen.

Ich habe keine Lust zu schwitzen.

## Wortbildung: Adverb

-weise: normalerweise   (normal/weise)

So fing 1977 ein Schlager an. Die Worte wurden in Gesprächen unter Frauen zum geflügelten Wort. Die Fortsetzung „macht sich von allein, sagt mein Mann", schwingt dabei ironisierend mit. Der Schlager ist in vieler Hinsicht ein Symbol der damaligen Bundesrepublik: Die Ehefrauen durften dank des erreichten Wohlstands zu Hause bleiben und hatten „nur" die Kinder und den Haushalt zu versorgen. Einen Haushalt, der sich dank der segensreichen Entwicklungen einer wachsenden Haushaltsgeräteindustrie so gut wie von selbst erledigte (und das Gewissen vieler verdienender Männer beruhigte). Was der Schlager aber auch transportiert, ist das erstarkende Bewusstsein der Frauen für die von ihnen geleistete Arbeit und für die Ungerechtigkeiten der gesellschaftlichen Rollenverteilungen bei Mann und Frau. Dreißig Jahre später scheinen die Probleme im europäischen Raum noch nicht so richtig gelöst.

Brotschneide[r]

Handmixgerä[t]

Toaster

Spülmaschine, offen

Staubsauger

Brotbackmaschine

Zerkleinerer

Apfelschäler

Stabmixer

Dampfgarer

moderner Herd, Backofen, Mikrowelle, alles programmierbar

tik

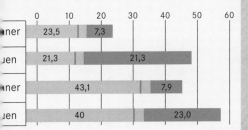

| | 0 | 10 | 20 | 30 | 40 | 50 | 60 |
|---|---|---|---|---|---|---|---|
| ...ner | 23,5 | | 7,3 | | | | |
| ...uen | 21,3 | | | 21,3 | | | |
| ...ner | | | 43,1 | | 7,9 | | |
| ...uen | | | 40 | | 23,0 | | |

...rbeitszeit Hauptjob
Arbeitszeit Nebenjob
...egezeit
...nbezahlte Arbeitszeit

### Frauen arbeiten am längsten

Wenn man von Arbeitszeit redet, dann meistens von der Arbeitszeit im Hauptberuf. Damit ist das Bild aber alles andere als vollständig. Die Anzahl der Arbeitnehmer mit einem Nebenjob ist nicht groß, aber deswegen noch lange nicht vernachlässigenswert. Es können – wie in Norwegen – bis zu 10 % der Beschäftigten sein. Arbeitnehmer verbringen einige Zeit auf dem Weg zur Arbeit, durchschnittlich 40 Minuten. Und vor allem: Sie verbringen viel Zeit mit unbezahlter Arbeit im Haushalt, bei der Beaufsichtigung von Kindern, der Pflege von Erwachsenen. Wir haben all das addiert und die zusammengesetzte Arbeitszeit der Beschäftigten (auf eine Woche bezogen) ermittelt. Der große Unterschied zwischen Frauen und Männern springt unmittelbar ins Auge (Tabelle). Frauen arbeiten in allen Ländern länger als Männer. Selbst Teilzeit arbeitende Frauen haben einen längeren Arbeitstag als männliche Vollzeit-Beschäftigte, wenn man die zusammengesetzte Arbeitszeit nimmt. Um allen Missverständnissen vorzubeugen: Wir haben in der Umfrage nur nach unbezahlter Arbeitszeit für Haushalt und Pflege gefragt, nicht nach Freizeittätigkeiten oder ehrenamtlichen Tätigkeiten.

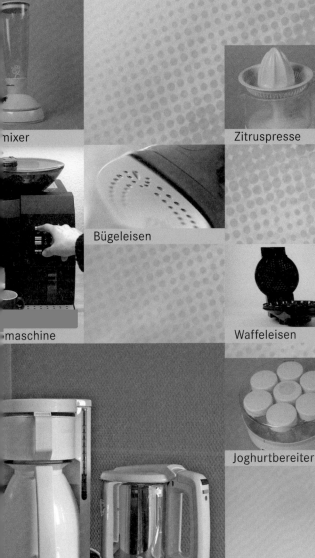

...mixer

Zitruspresse

Waschmaschine, programmierbar

Bügeleisen

Waffeleisen

...maschine

Joghurtbereiter

Küchenmaschine

...schine      Wasserkocher

93

# Verrückt

**7**

**C**

**B**

**A**

**D**

**1** Was könnten die Fotos mit „verrückt" zu tun haben?

**2** Was fällt Ihnen zum Thema „verrückt" noch ein?

**Lernziel: gemeinsam etwas planen**
- komplexe Sachverhalte verstehen
- komplexe Sachverhalte wiedergeben
- sich auf die Argumente anderer beziehen
- Vorschläge im Rahmen einer Planung machen
- Aufgaben im Rahmen einer Planung verteilen
- Vorgehen und Aufgaben im Rahmen einer Planung diskutieren

**Textsorten**

Gedicht   Sprüche   Aufforderungen
Kabarett   Zeitungsartikel   Reportage
Informationstexte   Gespräche
Podiumsdiskussion   Bürogespräch

# Verrückte Kunst! Verrückte Kunst?

.15

**a** Sehen Sie und hören Sie. Gefällt Ihnen diese Poesie, die Malerei, die Musik?

```
ordnung      ordnung
ordnung      ordnung
ordnung      ordnung
ordnung      ordnung
ordnung      ordnung
ordnung    unordn  g
ordnung      ordnung
ordnung      ordnung
ordnung      ordnung
ordnung      ordnung
ordnung      ordnung

Timm Ulrichs
```

16–21

**b** Hören Sie. Wie beurteilen die Personen die „Kunst"? Machen Sie Notizen.

|          | Gedicht | Musik | Bild |
|----------|---------|-------|------|
| Person 1 |         |       |      |
| Person 2 |         |       |      |
| Person 3 |         |       |      |
| Person 4 |         |       |      |
| Person 5 |         |       |      |
| Person 6 |         |       |      |
| Person 7 |         |       |      |

**c** Worauf beziehen sich die Sprecher mit dem Wort *verrückt*?
Sprechen Sie mit Ihrer Partnerin / Ihrem Partner und kreuzen Sie an.

☐ das Bild ☐ den Dichter ☐ die Nase ☐ den Rhythmus ☐ ein Wort
☐ die Augen ☐ den Komponisten ☐ das Ohr ☐ das Gedicht ☐ ein paar Buchstaben
☐ die Ordnung ☐ den Maler ☐ die Musik ☐ die eigene Meinung

**d** Welche Bedeutungen von *verrückt* haben Sie entdeckt?

☐ komisch ☐ lustig ☐ dämlich ☐ verschoben ☐ abstrakt ☐ seltsam
☐ unverständlich ☐ krank ☐ versetzt ☐ idiotisch ☐ anders

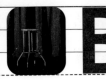

# B
## Verlassen Sie den Raum so, wie Sie ihn ...

**B1** Sprüche und Hinweise

**a** Ernst oder Ironie? Lesen Sie die folgenden Sprüche und Hinweise. Ordnen Sie zu.

Ernst: ..6..          Ironie: .......

> 1 Oh Herr, lass es Freitag werden, Montag wird's von selbst.

> 2 Lassen Sie Ihr Gepäck nie unbeaufsichtigt und achten Sie auf Ihr Handgepäck.

> 3 Es gibt viel zu tun – fangt schon mal an.

> 4 Es gibt viel zu tun, packen wir's an.

> 5 Bitte nicht hetzen. Wir sind bei der Arbeit, nicht auf der Flucht.

> 6 Hände waschen nicht vergessen.

> 7 Was du heute kannst besorgen, das verschiebe nicht auf morgen.

> 8 Verschiebe nie auf morgen, was du heute von anderen erledigen lassen kannst.

**b** Wo könnten die Sprüche und Hinweise hängen? Was bedeuten sie?

AB 1, 2

Lass es Freita werden
GRAMMATIK

**B2** **a** Wo könnte der folgende Hinweis hängen?
Sammeln Sie Ihre Vorschläge.

> Bitte verlassen Sie den Raum so, wie Sie ihn vorfinden möchten.

Aufforderung
formen
GRAMMATIK 3

AB 3–9

2.22

**b** Hören Sie den Text und entscheiden Sie.
Was für ein Text ist das?

WORTSCHATZ
SÄTZE BAUEN
PHONETIK 9

Reisebericht ⬚  Kabarettstück ⬚  Kurzgeschichte ⬚  Gesellschaftskritik ⬚

**c** Hören Sie den Text noch einmal und notieren Sie, was der „Reisende" tut.
Vergleichen Sie Ihre Notizen.

*er wartet auf einen ICE*

**d** Wie hat der „Kabarettist" den Hinweis interpretiert?
Was bedeutet er wirklich?

**e** Einstein wollte dieses Schild (siehe a) an
„den Ausgang des Universums" stellen:
Welche Hinweisschilder würden Sie aufstellen?
Für Astronauten, Weltraumtouristen ...?
Schreiben Sie.

# Klimawandel im Gespräch

## Das Wetter spielt verrückt

**a** Was glauben Sie? Wann sagt man „Das Wetter spielt verrückt"? Sprechen Sie.

> Zum Beispiel wenn es regnet und gleichzeitig ...   Oder wenn die Temperaturen ...

**b** Wochenendwetter im Mai in Berlin. Wie sind die Wetteraussichten?
Lesen Sie die Tabelle und machen Sie sich Notizen zum Wochenendwetter.

| Berlin | Min. Temp. | Max. Temp. | Wind aus | Wind- stärke, km/h | Wetterzustand im Tagesverlauf |
|---|---|---|---|---|---|
| Fr 06.05. | 10° C | 14° C | W-S-W | 80 | *Es ist windig.* |
| Sa 07.05. | 11° C | 18° C | W | 40 | |
| So 08.05. | 25° C | 32° C | W | 2 | |

**c** Wie finden Sie persönlich das vorausgesagte Wetter? Sprechen Sie im Kurs.

> Also mir persönlich gefällt das ja.   Ich finde es angenehm, wenn ...

AB 10–12   WORTSCHATZ 10, 11
SÄTZE BAUEN 12

## Radiosendung: Klimawandel im Gespräch

**a** Was bedeuten diese Begriffe? Verbinden Sie.

1 Klimawandel
2 $CO_2$-Ausstoß
3 globale Erderwärmung
4 Umweltverschmutzung
5 Artenschwund

a die Zahl der verschiedenen Tier- und Pflanzenarten nimmt ab
b die Erde und die Erdatmosphäre werden durch Abfall- und Nebenprodukte geschädigt
c weltweit ändert sich das Wetter
d das gesamte $CO_2$, das auf der Welt produziert und in die Erdatmosphäre abgegeben wird
e die Temperaturen steigen im Durchschnitt weltweit an

**b** Lesen Sie die Aufgaben. Hören Sie dann den Anfang der Radiosendung.
Welche der Aussagen zum Text ist richtig?

1 Im Sendestudio
a unterhalten sich zwei Professoren mit einer Moderatorin über das Thema Klimawandel. ☐
b unterhält sich eine Moderatorin mit einem Professor und mit einem Politiker über das Thema Klimawandel. ☐

2 Der Klimawandel ist ein Thema,
a das nur Fachleute beschäftigt, weil man im Alltag damit keine Erfahrungen macht. ☐
b das jeden beschäftigt, weil man damit im Alltag seine persönlichen Erfahrungen macht. ☐

3 Die Moderatorin
a fragt, ob die Klimakatastrophe ein wissenschaftlich bewiesenes Phänomen ist. ☐
b stellt fest, dass die Klimakatastrophe kein wissenschaftlich bewiesenes Phänomen ist. ☐

**c** Hören Sie nun den ganzen Text. Lesen Sie anschließend die Aufgaben.
Hören Sie dann den Text noch einmal in drei Abschnitten. Haben Sie das im Text gehört?
Kreuzen Sie an.

ja nein

tt 1  1 Die Klimaforscher sind sich in der Frage, ob es einen Klimawandel gibt, nicht einig.   ☐ ☐
2 Der Klimawandel lässt sich nur mit intensiven internationalen Maßnahmen bremsen.   ☐ ☐
3 Das Schmelzen des Eises ist ein Merkmal der Erderwärmung und trägt auch dazu bei.   ☐ ☐

tt 2  1 Im Augenblick wird viel mehr als die Hälfte unseres $CO_2$-Ausstoßes von den Pflanzen aufgenommen.   ☐ ☐
2 Es ist notwendig, nicht nur die großen Regenwälder, sondern auch die heimischen Wälder zu schützen.   ☐ ☐
3 Die zahlreichen Baumaßnahmen bei uns haben eindeutig nichts mit der Erderwärmung zu tun.   ☐ ☐

Abschnitt 3  1 Pflanzen sollen in Zukunft auch als Rohstoff- und Energielieferant dienen. ☐ ☐
2 Die Lebensräume der Tiere und Pflanzen nehmen beständig ab. ☐ ☐
3 Die allgemeine Erderwärmung hat nur an manchen Orten Auswirkungen auf die Tier- und Pflanzenwelt. ☐ ☐

**C3 a** Lesen Sie den folgenden Artikel aus der Zeitschrift *Nach-Gehört* und
markieren Sie die beiden Themen, von denen Sie in der Radiosendung *nichts* gehört haben.
Vergleichen Sie Ihre Lösungen.

## Klimawandel im Gespräch

Vergangenen Mittwoch fand zum Thema Klimawandel in der Sendung „Fachleute direkt" ein Gespräch mit Professor Witter und dem Umweltbeauftragten Möller statt.

5 Professor Witter schockierte die Hörer damit, dass es in Deutschland bald wieder die gefährliche Tropenkrankheit Malaria gebe. Auch dies sei auf den Klimawandel zurückzuführen. Er betonte, dass die globale Klimaerwärmung eine Tatsache sei, die sich nicht weg-
10 diskutieren lasse, und wiederholte seine Forderung nach intensiver, internationaler Zusammenarbeit. Aufgrund des Klimawandels ergäben sich neue Lebensbedingungen; und zwar nicht nur für die Tier- und Pflanzenwelt, sondern auch für uns Menschen hier in
15 Deutschland und überall. Deshalb sei die Rettung der hiesigen Wälder ein ebenso wichtiges Thema wie die Rettung der Regenwälder.
Schnell kamen im Rahmen des Gesprächs die Fachleute auf das Stichwort Biodiesel. In diesem Zusam-

menhang wies Herr Möller darauf hin, dass Bioroh- 20 stoffe für die Umwelt möglicherweise sogar schlecht seien. Die Idee, auf pflanzliche Ressourcen zurückzugreifen, zerstöre weitere Lebensräume der Tiere und Pflanzen.
Aus dem Publikum wurde die Frage nach der Rolle des 25 Eises bei der Klimaerwärmung gestellt. Prof. Witter erklärte, dass man sich in einem Kreislauf befinde: Je wärmer es werde, desto mehr Eisflächen würden schmelzen; je weniger Eisflächen es gebe, umso mehr Sonnenstrahlen könnten erwärmend auf die Erde einwir- 30 ken.
Laut Herrn Möller müsse man in diesem Zusammenhang auch die neuen Erkenntnisse zum Thema $CO_2$-Ausstoß der Ozeane in Betracht ziehen.
Den beiden Fachleuten gelang es, die wesentlichsten 35 Informationen zu diesem brandaktuellen Thema in aller Kürze klar zu vermitteln.

*Manfred Müller*

**b** Woran erkennt die Leserin/der Leser, dass der Autor wiedergibt,
was die Fachleute gesagt haben? Markieren Sie zu zweit die Stellen.
Vergleichen Sie im Kurs. Was fällt Ihnen auf?

**C4** Kritisieren Sie in einem Leserbrief den Artikel. Denken Sie daran,
dass Sie in einem Brief bei der indirekten Rede normalerweise
keine Konjunktivformen verwenden.

Schreiben Sie dem Journalisten,
– dass Sie die Radiosendung gehört haben,
– was in der Sendung gesagt worden ist,
– dass Sie sich darüber ärgern, dass der Journalist zwei Themen erfunden hat.

indirekte Red◌
Konjunktiv I u◌
GRAMMATIK 1◌

AB 13–26

WORTSCHATZ
TEXTE BAUEN

Verwenden Sie auch folgende Wendungen und Ausdrücke.

In Ihrem Artikel schreiben Sie, dass ... ■ In Ihrem Artikel informieren Sie darüber, dass ... ■
Ich habe aber im Rundfunk nicht gehört, dass ... ■ Prof. Witter erklärte /
wies darauf hin / warnte davor /..., dass ... ■ Prof. Witter erklärte zwar, dass ...,
sagte aber nicht, dass ... ■ Nach Ansicht des Professors ... ■ Dass ..., wurde aber /
jedoch im Gespräch nicht gesagt. ■ Laut ...

**Konjunktiv I**

a   Lesen Sie den Text.

## Hagenbuch

Hat jetzt zugegeben
    Dass er diese Geschichte
    Die er jetzt erzählen wolle
    Noch niemandem erzählt habe
    Und sie auch niemandem erzählen werde
    Weil sie ihm niemand glaube
    Obwohl er immer wieder angehalten werde
    Selbst von den höchsten Kreisen
    Diese Geschichte doch endlich zu erzählen
    Erzähle er sie nicht
    Erzähle er sie niemandem
    [...]
    Darum habe er auch in Lindau diese Geschichte
    Ganz für sich behalten
*Hans Dieter Hüsch*

b   Lesen Sie den Text noch einmal und markieren Sie alle Konjunktiv-I-Formen.

c   Ergänzen Sie mit Ihren markierten Konjunktiv-I-Formen die folgende Tabelle.

|          | sein       | haben       | alle anderen Verben |
|----------|------------|-------------|---------------------|
| Präsens: | sei        | habe        |                     |
| Perfekt: | sei gewesen| habe gehabt |                     |
| Futur:   | werde sein | werde haben |                     |
| Passiv:  | –          | –           |                     |

3. Person Plural von sein: *seien*

d   Lesen Sie den folgenden Text. Es ist der Text aus 1a, aber er steht jetzt im Plural. Markieren Sie die Verben und lösen Sie die Aufgaben. Was ist richtig? Kreuzen Sie an.

> **Die Brüder Hagenbuch haben** jetzt zugegeben, dass sie diese Geschichte, die sie jetzt erzählen wollen, noch niemandem erzählt haben und sie auch niemandem erzählen werden, weil sie ihnen niemand glaube, obwohl sie immer wieder angehalten werden, selbst von den höchsten Kreisen, diese Geschichte doch endlich zu erzählen, erzählen sie sie nicht, erzählen sie sie niemandem [...] Darum haben sie auch in Lindau diese Geschichte ganz für sich behalten.

Man kann die indirekte Rede durch die Formen des Konjunktivs I in der 3. Person
   nur im Plural erkennen.
   in Plural und Singular erkennen.
   nur im Singular erkennen.

AB 30

# Fokus Grammatik: Redewiedergabe im Kontext

**1** **Redewiedergabe in Nachrichtentexten**

**a** Markieren Sie in dem Zeitungsartikel in C3 die Stellen, an denen wiedergegeben wird, was eine dritte Person spricht. Tragen Sie die Ausdrücke und Formen in die Tabelle ein.

| Konjunktiv I | Konjunktiv II | Verben des Sagens und Meinens | Präpositionen |
|---|---|---|---|
| *wegdiskutieren lasse* | *... ergäben sich ...* | *... betonte, dass ...* | *laut Herrn Möller nach Herrn Möller* |

**b** Wenn Autoren in Nachrichtentexten schreiben oder sagen möchten, was eine andere Person gesagt hat, gelten verschiedene Regeln. Lösen Sie dazu die folgenden Aufgaben.

**1** Welche Aussage ist richtig? Kreuzen Sie an.
☐ Der Konjunktiv I ist *eine* Möglichkeit für die Redewiedergabe.
☐ Der Konjunktiv I ist die *einzige* Möglichkeit für die Redewiedergabe.

**2** Drei der folgenden Aussagen sind richtig. Welche?
Der Autor verwendet
☐ Konjunktiv I und Konjunktiv II nach bestimmten Regeln.
☐ Verben des Sagens und Meinens.
☐ nur den Konjunktiv I.
☐ die Präpositionen *laut* und *nach*.

**3** Die folgenden beiden Aussagen sind ☐ richtig ☐ falsch.
Mit dem Konjunktiv I sagt der Autor,
– was er selbst denkt.
– dass er nicht glaubt, was die andere Person gesagt hat.

**c** Vergleichen Sie dann mit der Lösung auf Seite 137.

**2** **Redewiedergabe in der Alltagssprache**

**a** Wie *sagen* wir das im Alltag? Was glauben Sie? Kreuzen Sie an.

**1** Und dann hat er noch gesagt, dass du nicht mitmachen ...
☐ darfst
☐ dürfest.

**2** Sie hat doch glatt behauptet, er ...
☐ hat ☐ habe das nie gesagt.

**3** Hast du mir nicht versprochen, dass du mir ...
☐ hilfst?
☐ helfest?

**4** Ich habe ausdrücklich betont, dass mir diese Situation nicht egal ...
☐ ist
☐ sei.

**b** Was ist richtig? Kreuzen Sie an.

Wenn man in der Alltagssprache sagen möchte, was eine andere Person gesagt hat, dann verwendet man im Allgemeinen ☐ den Konjunktiv. ☐ keinen Konjunktiv.

**c** Vergleichen Sie dann mit der Lösung auf Seite 137.

**3** **a** Hilfreiche Regeln beim Lernen der Konjunktiv-I-Formen. Kreuzen Sie an.

**1** Man verwendet den Konjunktiv I in der gesprochenen Sprache ☐ oft ☐ selten.
**2** Man muss den Konjunktiv I ☐ aktiv anwenden ☐ verstehen können.
**3** Damit man versteht, was in Nachrichtentexten geschrieben oder gesagt wird, muss man die Konjunktiv-I-Formen ☐ kennen ☐ nicht kennen.
**4** Man sollte ☐ alle Konjunktiv-I-Formen ☐ die Konjunktiv-I-Formen der 3. Person lernen.

**b** Vergleichen Sie mit der Lösung auf Seite 137.

AB 31

## Verrücktes Design

### mr. wilson

**a** Dieses Produkt heißt „mr. wilson". Was könnte das sein?
Wozu könnte es dienen?

> „mr. wilson" könnte
> ein ... sein.

> Man könnte ihn
> als ... verwenden.

**b** In welchen Abschnitten finden Sie die Antwort auf die Frage in a?
Vergleichen Sie mit Ihren Ideen.

# bisschen verrückt

### Seltsam sind sie schon – die Produkte genauso wie die Produzenten

„mr. wilson" sieht ein bisschen dämlich aus. Kleine Augen, breites Maul, gelbes Gesicht, und dazu schaut er drein wie ein Fisch. Wenn es ihn nicht gäbe, dann hätten Dominik Langhammer, 29, und Alexander S., 26, wohl nie etwas miteinander zu tun gehabt. Der eine ist Industriedesigner, der andere psychisch krank und Mitarbeiter einer Werkstatt für Menschen mit Behinderungen. Der eine kommt in der Welt herum, der andere lebt in Karlsruhe und seine Welt ist ziemlich klein.

Dominik Langhammer hat „mr. wilson" erfunden, den Tennisball, der ein Handtuchhalter ist, und Alexander S. erweckt ihn zum Leben. Die beiden Männer gehören zu Loony-Design, einem virtuellen Unternehmen, einer Kooperation der Staatlichen Akademie der Künste Stuttgart und der Diakonie Baden. Industriedesignstudenten entwickeln schöne Alltagsprodukte und machen erste Erfahrungen mit einem Hersteller, psychisch Kran-

ke fertigen sie in Werkstätten für Behinderte. Loony ist englisch und heißt verrückt, bekloppt. Das gelte, sagen die Macher, für die Produkte wie für die Produzenten; und was vielleicht ein bisschen bös klingt, das sei nicht so gemeint.

(...) Sinnvolles tun: ein Produkt herstellen, das die Kunden kaufen, weil sie es schön finden und funktional – und nicht, weil sie ein guter Mensch sein, den armen Behinderten helfen wollen. Ein Produkt, das man achtet, ein Designerstück. (...) Und so erfahren die Kunden erst, wenn sie die Verpackung öffnen, woher das Produkt stammt.

(...) „mr. wilson" gehört zu den erfolgreichsten Produkten des Projekts, knapp 2000 wurden bereits verkauft. Man erhält ihn über www.loony-design.de, die Homepage von Loony-Design, elf Euro das Stück. (...) Alexander S. hat sich auch einen gekauft. Seiner hält jetzt die Handtücher auf dem WG-Klo.

**c** Lesen Sie jetzt die Fragen und suchen Sie die Antworten im Text.

Wer macht was? ................

Warum kaufen die Menschen die Produkte? ................

Was produzieren die Studenten und die Mitarbeiter der Werkstätten? ................

**Loony-Design**

Warum produzieren sie die „Alltagsprodukte?" ................

Eins der erfolgreichsten Stücke: ................

### Planung einer „Loony"-Präsentation

Lesen Sie die Aufgaben 1–6. Hören Sie das Gespräch zwischen zwei Loony-Designern, die eine Präsentation ihres Projekts vorbereiten. Was stimmt nicht?
Streichen Sie Falsches durch und korrigieren Sie. *Schüler*

1 Sarah und Frank müssen eine Präsentation für ~~Vertriebsleute~~ vorbereiten.
2 Sie besprechen, dass sie keine neue Präsentation machen.
3 Sie beginnen die Präsentation mit der Vorstellung der Studenten.
4 Anschließend präsentieren sie ihre Projektidee. Informationen zum Studium lassen sie weg.
5 Zum Schluss berichtet dann Frank über die Zusammenarbeit mit der Werkstätte für Menschen mit Behinderungen.
6 Sarah notiert alles und macht auch die Powerpoint-Präsentation.

**D3** Wie haben Sie das Gespräch empfunden? Sprechen Sie.

freundschaftlich ■ sachlich ■ unhöflich ■ kollegial ■ ineffektiv ■ professionell ■ ...

**D4 a** Bilden Sie Gruppen. Jede Gruppe wählt ein Plakat und sucht die passenden Wendungen und Ausdrücke. Schreiben Sie Ihre Wendungen und Ausdrücke auf Ihr Plakat. Hängen Sie die Plakate nebeneinander.

*etwas ablehnen wollen*

*einen Vorschlag machen*

Du, wegen der Präsentation am Mittwoch ... ■
Du, ich hab' so viel zu tun, ich weiß gar nicht ... ■
Glaubst du, mir geht's besser? ■
Können wir nicht die vom letzten Mal nehmen? ■
Das fände ich, ehrlich gesagt, nicht so gut. ■
Ich weiß nicht so recht. ■ Glaubst du wirklich? ■
Überleg doch mal ... ■ Also, was schlägst du vor? ■
Ich würde erst mal ... ■ Okay. Und wie genau willst du das machen? ■ Wir könnten doch ... ■
Super Idee. ■ Genau, so machen wir's. ■
Ich würde vorschlagen, dass ... ■ Und dann könnten wir ... ■ Genau. ■ Dann müssten wir als Erstes ... ■
Erst mal würd' ich vorschlagen, ... ■ Okay. Hast recht. ■
Irgendeiner müsste das mal aufschreiben. ■
Kann ich schon machen. ■ Zum Schluss müssten wir natürlich noch ... ■ Verstehst du, was ich meine? ■
Ja, ja. – Gefällt mir. ■ Wie wär's, wenn wir ...? ■
Nicht schlecht. ■ Hättest du Lust, das zu übernehmen? ■ Wenn's sonst keiner machen will. ■
Dafür baust du ... um. ■ Okay. Okay.
Das hat man davon, wenn ... ■ Weißt du was, ich glaub', das wird 'ne super Veranstaltung, oder? ■
Wenn wir fertig werden, schon.

*den anderen/ jmdn. auffordern*

*einen Vorschlag positiv bewerten*

*einen Vorschlag negativ bewerten*

**b** Lesen Sie jetzt gemeinsam die Plakate. Gibt es Mehrfachnennungen? Fehlt etwas?

AB 27–29  SÄTZE BAUE

**D5** Teamarbeit

**a** Bilden Sie Zweiergruppen und wählen Sie ein Projekt. Besprechen Sie, wer welche Aufgaben bei der Vorbereitung einer Präsentation übernimmt.

1 Einigen Sie sich auf ein Produkt (vielleicht auch zwei Produkte) aus Ihrem Heimatland, das Sie im Kurs vorstellen wollen. Wer bereitet was für die Präsentation vor? Einigen Sie sich. Verwenden Sie dabei auch die Redemittel aus D4.

2 Sie wollen jemandem etwas schenken, was noch niemand hat. Erfinden Sie etwas oder erstellen Sie gemeinsam ein „Objekt". (Stellen Sie es aus Materialien her, die Sie schon haben, wie leere Flaschen o. Ä.) Wer bereitet was für die Präsentation vor? Einigen Sie sich. Verwenden Sie dabei auch die Redemittel aus D4.

**b** Wenn Sie wollen, können Sie Ihre Präsentation machen und Ihr Produkt vorstellen.

Im Rahmen einer längeren Exkursion durch die deutschsprachigen Länder müssen Sie zwei Tage selbst organisieren. Drei Vorschläge liegen Ihnen vor.

A  Alpabzug in der Stadt Zürich. Schweizer Künstler gestalten Kühe – nicht fürs Land, sondern für die Stadt.

B  documenta in Kassel. Die größte Weltausstellung der zeitgenössischen Kunst gibt alle fünf Jahre einen Überblick über die wichtigsten neuen Tendenzen in der Kunst.

C  Die Neue Sammlung in der Pinakothek der Moderne in München ist heute eines der international führenden Museen für angewandte Kunst der Moderne – für Industrie-Design weltweit das bedeutendste.

a  Bilden Sie Dreier-Gruppen. In jeder Gruppe informiert sich eine Person über jeweils ein Angebot. Lesen Sie die Texte: Alpabzug, Seite 122; documenta, Seite 128; Design-Sammlung, Seite 129.

b  Erzählen Sie in Ihrer Gruppe, was Sie gelesen haben. Einigen Sie sich auf ein Angebot.

## Planen Sie, wie Sie die Exkursion vorbereiten wollen.

Wer kümmert sich worum? Denken Sie an die Anreise, an Übernachtungsmöglichkeiten, Führungen und an andere mögliche Aktivitäten in der Stadt. Überlegen Sie auch, wie Sie Ihre Planung im Kurs präsentieren möchten.

Stellen Sie Ihre Planung vor.

**gemeinsam etwas planen**

### Gefallen / Missfallen äußern

Also, mir persönlich gefällt das ja (nicht).
Ich finde es (un)angenehm, wenn …

### Aussagen / Meinungen eines anderen wiedergeben

… dies habe … zu tun.
Nach Ansicht / Meinung des Professors …
Laut Professor …
Er schockierte die Zuhörer / … damit, dass …
Er betonte, dass …
Sie wiederholte, dass …
Sie wies darauf hin, dass …
Er erklärte, dass …

### jemanden zu etwas auffordern

Verlassen Sie …
Irgendeiner müsste das mal aufschreiben.
Hättest du Lust, das zu übernehmen?

### etwas vorschlagen

Können wir nicht …?
Ich würde erst mal …
Überleg doch mal …
Wir könnten doch …
Ich würde vorschlagen, dass …
Und dann könnten wir …
Dann müssten wir als Erstes …
Erst mal würde ich vorschlagen, …
Zum Schluss müssten wir natürlich noch …
Wie wär's, wenn wir noch …?
Weißt du was?
Ich hätte eine Idee …

### ausdrücken, dass man etwas lieber nicht machen würde

Du, ich hab' so viel zu tun, ich weiß gar nicht …
Wenn's sonst keiner machen will.

### einen Vorschlag annehmen

Okay. Und wie genau willst du das machen?
Super Idee.
Genau, so machen wir's.
Okay. Hast recht.
Kann ich schon machen.
Gefällt mir.
Nicht schlecht.
Warum nicht?

### einen Vorschlag ablehnen

Das fände ich, ehrlich gesagt, nicht so gut.
Ich weiß nicht so recht.
Glaubst du wirklich?

### nachfragen

Verstehst du, was ich meine?
Wie geht denn das?

### aushandeln

Ich mache …, dafür machst du …
Okay. Okay. Ich mache es.

## Aufforderungen

**mit Imperativ**

Leg das Handy einfach auf den Tisch.                du-Form
Legen Sie das Handy einfach auf den Tisch.          Sie-Form
Legt das Handy einfach auf den Tisch.               ihr-Form

**mit Infinitiv**

Bitte nicht hetzen!
Hier nicht parken.

**mit Konjunktiv II**

als Frage:      Könnten/Würden Sie das dann bitte gleich machen?
als Aussage:    Das könnten *Sie* doch machen.
                Das müsste jetzt gemacht werden.

## Das Verb *lassen*

**Vollverb: etwas (nicht) tun**

Lass mich bitte in Ruhe.   Lassen Sie das, das geht Sie nichts an.

**Hilfsverb:**

Von Ihnen lasse ich mich nicht aus der Ruhe bringen!   etwas (nicht) zulassen
Ich lasse morgen mein Auto waschen.                    etwas veranlassen

## Indirekte Rede

### Einleitung der indirekten Rede

mit Verben des Sagens/Meinens/...
Professor Witter sagte/betonte/meinte/wies darauf hin,
dass die globale Klimaerwärmung eine Tatsache sei.

mit Präposition
Laut Professor Witter / Nach Einschätzung des Professors
sei die Rettung der Wälder ein wichtiges Thema.

### Indirekte Rede in der gesprochenen Sprache: *Präsens, Perfekt, Futur*

„Ich erzähle diese Geschichte nicht."              Präsens
Er hat gesagt, dass er diese Geschichte nicht erzählt.

„Ich habe diese Geschichte nicht erzählt."         Perfekt
Er hat gesagt, dass er diese Geschichte nicht erzählt hat.

„Ich werde diese Geschichte nicht erzählen."       Futur
Er hat gesagt, dass er diese Geschichte nicht erzählen wird.

### Indirekte Rede: neutrale Redewiedergabe in der Nachrichtensprache
(Konjunktiv I und Konjunktiv II)

Die Experten waren der Ansicht, dass die Klimaerwärmung eine Tatsache sei, die sich nicht wegdiskutieren lasse.
Die Idee, ..., zerstöre weitere Lebensräume der Tiere und Pflanzen.
Aufgrund des Klimawandels ergäben sich neue Lebensbedingungen.

Diese Formen werden in neutralen Berichten in den Medien verwendet, z. B. in der Zeitung oder im Radio. Man markiert mit diesen Formen, was eine andere (dritte) Person gesagt hat. Daher werden die ersten (ich, wir) und die zweiten (du, ihr) Formen nicht verwendet. Wenn die Formen von Konjunktiv I und Indikativ gleich sind, verwendet man den Konjunktiv II, z. B. *ergäben sich*.

# Wettergeschichten

schreiben nicht nur Dichter, sondern auch künstlerische Fotografen. Sie drücken damit natürlich auch ein Stück weit Realität aus, dann aber auch Empfindungen und Stimmungen, Sehnsüchte und Enttäuschungen, Träume und Schreckensbilder. Das Wetter und das damit zusammenhängende Wohlbefinden ist im deutschen Sprachraum aber auch ein nie endendes Thema in Alltagsgesprächen sowie ein wesentliches inhaltliches Element in den Medien, wenn es um Fragen der Umweltpolitik geht. Das „Wetter" ist allgegenwärtig.

Gewitter
Schneefall
Herbststurm
Hagel
Nieselregen
Nebel
Regenbogen

Scheint warm die Sonne:
freu dich des Lichts!
Füllt Regen die Bäche,
hast du vom Leben nichts –
im Gegensatz zur Forelle!

*Heinz Erhardt*

## Herbsttag

Herr: es ist Zeit. Der Sommer war sehr groß.
Leg deinen Schatten auf die Sonnenuhren,
und auf den Fluren laß die Winde los.

Befiehl den letzten Früchten voll zu sein;
gib ihnen noch zwei südlichere Tage,
dränge sie zur Vollendung hin und jage
die letzte Süße in den schweren Wein.

Wer jetzt kein Haus hat, baut sich keines mehr.
Wer jetzt allein ist, wird es lange bleiben,
wird wachen, lesen, lange Briefe schreiben
und wird in den Alleen hin und her
unruhig wandern, wenn die Blätter treiben.

*Rainer Maria Rilke*

## Trübes Wetter

Es ist ein stiller Regentag,
So weich, so ernst, und doch so klar,
Wo durch den Dämmer brechen mag
Die Sonne weiß und sonderbar.

Ein wunderliches Zwielicht spielt
Beschaulich über Berg und Tal;
Natur, halb warm und halb verkühlt,
Sie lächelt noch und weint zumal.

*Gottfried Keller*

### Der Herbst

Im Herbst bei kaltem Wetter
fallen vom Baum die Blätter –
Donnerwetter,
im Frühjahr dann,
sind sie wieder dran –
sieh mal an.

*Heinz Erhardt*

### Das ist ein schlechtes Wetter

Das ist ein schlechtes Wetter,
Es regnet und stürmt und schneit;
Ich sitze am Fenster und schaue
Hinaus in die Dunkelheit.

*Heinrich Heine*

Klingt im Wind ein Wiegenlied,
Sonne warm herniedersieht;
Seine Ähren senkt das Korn;
Rote Beere schwillt am Dorn;
Schwer von Regen ist die Flur –
Junge Frau, was sinnst du nur?

*Theodor Storm*

### Schlechtes Wetter

Liese, es regnet Seile;
Ich sterbe vor Langerweile.
Ich glaube, die Blasen schwimmen dort –
Jetzt regnet's vier Wochen immer so fort.
Ich sollte der liebe Gott mal sein.
Da gäb' es Regen bloß bei Nacht,
Und immer wär' es Sonnenschein,
Wenn ich im Bett wär' aufgewacht.

*Victor Blüthgen*

+++ an formellen Diskussionen teilnehmen +++ an formellen Diskussionen teilnehmen +++ an formellen Diskussionen teilnehmen +

ormellen Diskussionen teilnehmen +++ **an formellen Diskussionen teilnehmen** +++ an formellen Diskussio

+++ an formellen Diskussionen teilnehmen +++ an formellen Diskussionen teilnehmen +++ an formellen Diskussionen teilnehmen +

# Risiko

**B**

**A**

**D**

**C**

1 Was würden Sie als Risiko bezeichnen?

2 Welche „Risiken" entdecken Sie in den Fotos?

**Lernziel: an formellen Diskussionen teilnehmen**

→ die eigene Meinung mit Erfahrungen, Ereignissen und Einstellungen begründen
→ Vermutungen über Gründe und Folgen anstellen
→ die eigene Meinung zu aktuellen und abstrakten Themen äußern
→ während eines Gesprächs Notizen machen
→ weitere Argumente ergänzen
→ ein bekanntes Thema systematisch darlegen und wichtige Punkte hervorheben
→ die Haltung eines Verfassers / einer Verfasserin verstehen
→ wesentliche Inhalte einer Korrespondenz verstehen

**Textsorten**

Redewendungen ■ Veranstaltun
plakat ■ Reportage ■ Firmenpro
Zeitschriftenartikel ■ Leserbrief
Rollenkarten ■ Börsenberichte ■
Moderation

# Riskante Worte

Lesen Sie und finden Sie Erklärungen.

Eine dicke Lippe riskieren

Es gibt nichts zu verlieren

Ein Restrisiko bleibt bestehen

No risk, no fun

Frisch gewagt ist halb gewonnen

> Eine dicke Lippe riskieren? Keine Ahnung, was das heißt.

> Ich glaube, ich kann es erklären. Also: Wenn jemand etwas behauptet ...

> Und was bedeutet „Es gibt nichts ..."?

---

## Klettern ohne Seil

**Über 500 Meter Wand: Klettern ohne Seil!**

Freitag 20 Uhr, Kongresssaal

**Diavortrag mit Alexander Huber.**

**a** Faszinierend oder zu riskant?
Sehen Sie sich das Plakat an.
Wie finden Sie den Sportler, die Sportart?
Tragen Sie zu zweit Ihre Bewertung
in die Tabelle ein.
Verwenden Sie dazu die folgenden Adjektive.
Vergleichen Sie dann im Kurs.

riskant ● verantwortungslos ●
gefährlich ● sinnlos ● lebensmüde ●
stark ● bewundernswert ● faszinierend
todesmutig ● idiotisch ● egoistisch ●
großartig ● verrückt ● risikoreich ●
lebensgefährlich

| positiv | | negativ | |
| Sportler | Sportart | Sportler | Sportart |
| --- | --- | --- | --- |
| | | | riskant |

**b** Wie sieht Ihre Bewertung aus? Sprechen Sie nun in der Gruppe.
Verwenden Sie dabei auch folgende Wendungen und Ausdrücke
sowie Ihre Adjektive aus der Tabelle.

> Der (Sportler) ist todesmutig / ....
> Diese Sportart / ... ist doch einfach sinnlos / ...
> Es kommt mir vor, als wäre er lebensmüde /...
> Es kommt mir vor, als ob er lebensmüde / ... wäre.
> Mir kommt das sinnlos / ... vor.

> Diese Sportart ist doch einfach faszinierend.

lebensmüde, todesmutig, lebensgefährlich
AB 1–3 GRAMMATIK

..., als ob er lebensmüde wäre.
GRAMMATIK 4–6

AB 4–9

SÄTZE BAUEN 7–8
PHONETIK 9

**c** Würden Sie zu dem Diavortrag gehen?
Warum? Warum nicht? Sprechen Sie.

**B2** Extremsituationen suchen

(...) Zum Beispiel das „free solo". Klettern ohne Seilsicherung. 300 Meter über dem Boden hing Alexander im Fels der Großen Zinne. (...) Die Angst macht Alexander Huber besser. Er mag schließlich das Leben. Und er sucht immer neue Herausforderungen, obwohl er sich dabei in Lebensgefahr begibt und obwohl seine Mutter nach Aktionen wie dem gelungenen „free solo" an der Großen Zinne empört ist und mit dem Sohn schimpft. Er entgegnet, dass er das Risiko genau einschätzen kann, jede Bewegung, jeder Armzug sei genau einstudiert. Bergfotograf Heinz Zak allerdings, der meist die spektakulären Bilder von Alexander Huber aufnimmt, war beim „free solo" nicht dabei, weil er nicht in die Lage kommen wollte zu dokumentieren, „wie der Alex stirbt". (...)

**a** Lesen Sie den Text.
Welche Aussagen passen aus Ihrer Sicht zum folgenden Text?
Kreuzen Sie an.

☐ A. Huber übt einen gefährlichen Sport aus.

☐ A. Huber ist das Leben egal.

☐ A. Huber ist überzeugt, dass er nicht zu viel Risiko eingeht.

☐ Seine Mutter hat Angst um ihn.

☐ A. Huber hat keine Angst.

☐ Der Fotograf Heinz Zak fotografiert gern jede Aktion von A. Huber.

**b** Warum betreibt Alexander Huber wohl diesen Sport trotz der Gefahren? Was meinen Sie?
Verwenden Sie auch die folgenden Wendungen und Ausdrücke.

Ich könnte mir vorstellen, dass er ....
Es könnte sein, dass er ...
Vielleicht aber auch, weil ...
Er wird wohl ...

*Vielleicht aber auch, weil.*

*Es wird wohl*

> Ich könnte mir vorstellen, dass er das Risiko liebt.

AB 10–12   WORTSCHATZ 1
SÄTZE BAUEN 1

**c** So analysiert ein Psychologe das Phänomen Extremsport.
Lesen Sie.

**Der Psychologe Professor Dr. Justin Perfler nennt folgende Gründe:**

**Menschen erleben Extremsport ...**

● als Kontrast zu ihrem oft langweiligen Alltag ☐

● als Kampf mit der Natur ☐

● als Abgrenzung von anderen ☐

● als Körpertraining ☐

● als intensives Erlebnis ☐

Extremsport als
Körpertraining
GRAMMATIK

AB 13

**d** Lesen Sie dann die Aussagen von Sportlern und ordnen Sie sie den Thesen zu.

**1** In meinem Job habe ich null Bewegung: denken, schreiben, lesen und dabei natürlich sitzen. Deshalb muss ich in meiner Freizeit körperlich einfach an meine Grenzen gehen.

**2** In 4000 Meter Höhe ist keiner da, der mir hilft. Da haben das Wetter und der Berg das Sagen, du musst überleben.

**3** Ich mache das, weil ich den Nervenkitzel liebe, die Abwechslung, die Spannung. – Ein Leben ohne meinen Sport wäre mir zu langweilig.

**4** Mir gefällt das, wenn mich alle für verrückt halten. Ich bin eben anders als die Leute, die am Sonntag Kaffee trinken oder brav spazieren gehen.

**5** Auf dem Wasser denk' ich an nichts. Ich schau' nur auf den Fluss direkt vor mir, konzentriere mich. Totale Anspannung. Das brauche ich.

**e** Erklären Sie nun die Thesen von Professor Dr. Perfler mit Ihren eigenen Worten und Beispielen.

**1** Ergänzen Sie die Sätze.

Ich würde das mit folgendem Beispiel erklären: Wenn jemand jeden Tag ins Büro geht und immer dasselbe tun muss, ...................

„Extremsport erleben als Kontrast zum langweiligen Alltag": Das heißt wahrscheinlich, dass ...................

**2** Sprechen Sie jetzt. Verwenden Sie die Wendungen und Ausdrücke.

Das heißt / bedeutet, dass ...
Ich würde das mit folgendem Beispiel erklären: Wenn ...

AB 14 → SÄTZE BAUEN

# C „Bulle" und „Bär"

**C1** Wohin mit dem Geld? Welche Möglichkeiten gibt es, wenn Sie mehr Geld haben,
als Sie für das tägliche Leben brauchen? Sammeln Sie im Kurs.

> Ich würde mein Geld ausgeben,
> für Reisen zum Beispiel.

AB 15, 16 → WORTSCHA

**C2** Planspiel: Gehen Sie an die Börse.

**a** Phase 1

① Ihr Startkapital beträgt 5000 Euro.
Lesen Sie das Aktienangebot. Welche Firma gefällt Ihnen gut (+), welche gar nicht (-)?
Warum? Markieren Sie die Stellen in den Texten.

2.30 ② Hören Sie jetzt den Börsenbericht. Notieren Sie zu jeder Aktie den gültigen Wert.

③ Entscheiden Sie, welche Aktien Sie kaufen und wie viele. Verbrauchen Sie möglichst Ihr ganzes Kapital.

☐ Aktie 1

## Firma Strengdichan

Sportartikelhersteller / Produktion und
Vertrieb weltweit / bekanntes und
beliebtes Logo / junges, dynamisches
und aktives Image / einer unter
wenigen Weltmarktführern / zahlreiche
befristete Arbeitsplätze weltweit /
arbeitet auch mit schlecht bezahlten
Honorarkräften / seit einigen Wochen
steil nach oben schnellende Aktienwerte

Wert: ...............................

Wie viele Aktien? ................

☐ Aktie 3

## Firma Baugroßfix AG

Planung und Bau von Chemieanlagen /
hauptsächlich Export /
Weltmarktführer /
trotz instabiler Wirtschaft
seit Jahren im Aufwärtstrend /
stabile Arbeitsplätze überwiegend
in Deutschland,
aber auch im Ausland

Wert: ...............................

Wie viele Aktien? ................

☐ Aktie 2

## Turboschnell & Partner AG

**Automobilkonzern / Produktion
nur in Deutschland, Vertrieb
weltweit / luxuriöses,
qualitätsstarkes Image /
einer unter wenigen Weltmarktführern / stabile Arbeitsplätze
überwiegend in Deutschland /
Aktien nach steiler Talfahrt
stark steigend**

Wert: ...............................

Wie viele Aktien? ................

☐ Aktie 4

## Firma Spieglein

Kosmetik- und Pflegeartikel / Herstellung
in Deutschland, Vertrieb europaweit und
in den USA / alle Produkte ohne Schad-
stoffe und Konservierungsmittel und auf
natürlicher Basis / keine Tierversuche /
lehnt Kinderarbeit ab / Personal:
viele Frauen im Angestelltenverhältnis,
auch in Führungspositionen / seit Jahren
auf mittlerem Niveau stabil

Wert: ...............................

Wie viele Aktien? ................

**4** Notieren Sie in Stichworten, warum Sie die Aktien gekauft haben, und sprechen Sie.

Aktie: ..........................................................................

Gründe für den Kauf: ................................

.....................................................

AB 17

... Deshalb habe ...
... Daher ...
GRAMMATIK

> Mir gefällt an der Firma ..., dass ... Deshalb habe ich die Aktien gekauft.

> Ich habe Aktien der Firma ... gekauft, weil ...

> An der Firma ... finde ich gut, dass ... Daher habe ich ...

2.31

**5** Hören Sie nun den zweiten Börsenbericht. Wie stehen Ihre Aktien?

| Aktie 1 | Aktie 2 | Aktie 3 | Aktie 4 |
|---|---|---|---|
| .............. Euro | .............. Euro | .............. Euro | .............. Euro |

**6** Wie viele Aktien haben Sie jeweils? Was ist ihr aktueller Wert? Ergänzen Sie.

Aktie 1: .......... Stück    Aktie 2: .......... Stück    Aktie 3: .......... Stück    Aktie 4: .......... Stück

Haben: .......... Euro    Haben: .......... Euro    Haben: .......... Euro    Haben: .......... Euro

**7** Wie viel Geld haben Sie?

Bilanz: Ihr Gewinn: ..............    Ihr Verlust: ..............    Ihr Gesamtguthaben: ...............

**8** Haben Sie Geld gewonnen oder Geld verloren? Berichten Sie im Kurs.

> Also, ich habe mein Geld fast verdoppelt.

> Mein Geld ist komplett weg.

**b** Phase 2

Jetzt müssen Sie sich entscheiden. Kaufen Sie noch Aktien?
Leihen Sie sich vielleicht Geld von der Bank? Oder hören Sie auf?
Verkaufen Sie? Ergänzen Sie die folgenden Wendungen und Ausdrücke
und sprechen Sie dann.

konzessive
Angaben
GRAMMATIK 18, 19

AB 18–21

Obwohl ich ganz schön viel Geld verloren habe, kaufe ich/ ... ■
Trotz meines Gewinns würde ich ... ■
..., trotzdem / dennoch würde ich ... ■

SÄTZE BAUEN 20
PHONETIK 21

> Ich würde sofort alle meine Aktien verkaufen, obwohl ich dann Geld verlieren würde.

# Fokus Grammatik: konzessive Angaben – Widerspruch im Kontext

**1 a** Welche Sätze drücken dasselbe wie der markierte Satz aus? Kreuzen Sie an.

Also, dieser Herr Meier, du weißt schon, *der kauft immer wieder Risikoaktien, obwohl er überhaupt kein Geld mehr hat.*

1 ☐ Der kauft immer wieder Risikoaktien. Er hat trotzdem kein Geld mehr.

2 ☐ Der hat überhaupt kein Geld mehr, dennoch kauft er immer wieder Risikoaktien.

3 ☐ Obwohl der immer wieder Risikoaktien kauft, hat er überhaupt kein Geld mehr.

4 ☐ Der hat überhaupt kein Geld mehr, trotzdem kauft er immer wieder Risikoaktien.

5 ☐ Trotz seiner schlechten finanziellen Lage kauft Herr Meier immer wieder Risikoaktien.

6 ☐ Der hat immer Geld, obwohl er immer wieder Aktien kauft.

7 ☐ Der hat viel Geld. Und er hat dennoch keine Aktien.

**b** Markieren Sie die Wörter, die kennzeichnen, dass ein Widerspruch formuliert wird.

**c** Wo stehen die Wörter, die Sie in 1a, Satz 1–7 markiert haben? Kreuzen Sie an und suchen Sie Satzbeispiele.

1 Wo kann *obwohl* stehen?    Beispielsatz/Beispielsätze: .......................
   ☐ Am Anfang eines Hauptsatzes.
   ☐ Am Anfang eines Nebensatzes.

2 Wo kann *dennoch/trotzdem* stehen?    Beispielsatz/Beispielsätze: .......................
   ☐ Am Anfang eines Hauptsatzes.
   ☐ Am Anfang eines Nebensatzes.
   ☐ Können auch in einem Hauptsatz stehen.

3 Was ist *trotz*?    Beispielsatz/Beispielsätze: .......................
   ☐ Eine Präposition mit Genitiv.
   ☐ Eine Konjunktion mit Hauptsatz.

[Trotzdem] [dennoch] über
[unterhalten über

**2** Fahrradfahren ohne Helm? Lesen Sie und ergänzen Sie.
Vergleichen Sie im Kurs

☐ trotzdem/dennoch/ ☐ trotz ☐ obwohl

Nur zehn Prozent der jugendlichen Radfahrer tragen einen Helm: So auch Hannes M., mit dem ich mich über das Thema unterhalten habe. Er ist nach eigenen Aussagen ein wilder Radfahrer und muss täglich durch dichten Straßenverkehr mit dem Fahrrad zur Schule fahren. .......Trotzdem..... (1) weigert er sich, einen Helm zu tragen, und das .......trotz....... (2) der vielen Informationsveranstaltungen, die von der Schule und der Polizei durchgeführt wurden. Als ich ihn fragte, ob seine Eltern ihn so fahren ließen, meinte er, dass die ihm die Gefahren erklärt und auch mit Konsequenzen gedroht hätten, ..................... (3) würde er das Haus jeden Morgen ohne Helm verlassen. Seine Mutter sei verzweifelt. ..................... (4) Hannes manchmal sogar besonders riskant fährt, ist ihm noch nie etwas passiert. Hannes M. berichtete auch von einem Mitschüler, der vor Kurzem einen schweren Fahrradunfall hatte. Seit dem Unfall ist Hannes möglicherweise etwas vorsichtiger, verzichtet aber ..................... (5) weiterhin auf den Helm. Seinen Eltern erklärte er, dass ein Helm eben nicht cool ist.

Obwohl    trotzdem/dennoch
trotz

# Schönheit um jeden Preis

Riskante Operationen

**a** Lesen Sie die Überschrift. Was glauben Sie? Welche Themen werden in dem folgenden Text angesprochen? Sammeln Sie Ihre Ideen im Kurs.

**b** Lesen Sie nun den Text und markieren Sie die Themen, die im Text angesprochen werden.

AB 22–24    WORTSCHATZ

- [ ] Qualifikation von Schönheitschirurgen
- [ ] gesetzliche Rahmenbedingungen
- [ ] Werbung von Schönheitschirurgen
- [ ] Risiken von Schönheitsoperationen
- [ ] eine Liste aller möglichen Schönheitsoperationen
- [ ] körperliche Faktoren der Patienten bei einer Operation
- [ ] Kosten für Schönheitsoperationen
- [ ] Tipps und Empfehlungen

## *Schönheit* um jeden Preis? – Riskante Operationen

**Für ein perfektes Äußeres legen sich auch in Deutschland immer mehr Menschen unter das Messer. Doch die Risiken ästhetischer Eingriffe werden vielfach unterschätzt.**

„Unsere gesetzliche Grundlage ist leider immer noch so, dass im Bereich der ästhetischen Chirurgie jeder Arzt alles machen darf", kritisiert Dr. Rolf Kleinen, Präsident der Deutschen Gesellschaft für Ästhetisch-Plastische Chirurgie. In dieser Grauzone treiben deshalb Tausende selbsternannte Schönheitschirurgen ihr Unwesen: Allgemeinmediziner, Urologen oder Zahnärzte, die Fettpolster beseitigen, Nasen verkleinern oder Gesichtsfalten glätten.

Hochglanzbroschüren einiger schicker Kliniken täuschen darüber hinweg, dass der behandelnde Arzt keine fundierte Ausbildung vorweisen kann. Und manche Angebote klingen so, als könne der Körper kurz vor der Badesaison noch schnell in Bikiniform gebracht werden. Doch jeder Eingriff am Körper birgt Risiken: wuchernde Narben, bleibende Nervenschäden im Gesicht, nicht schließende Augenlider, eine behinderte Nasenatmung. Solche Komplikationen kann selbst der erfahrenste Spezialist nicht ausschließen. Außerdem macht nicht jede Schönheitsoperation schöner. Deformierte Lippen und verzerr-

te Gesichtszüge wirken eher abschreckend als attraktiv.

Das Ergebnis einer Operation hängt von vielen Faktoren ab – vom Bindegewebe, von der Haut und vom Alter des Patienten. Je realistischer die Erwartungen eines Patienten, desto geringer das Risiko, dass der Patient enttäuscht ist. Ein seriöser Schönheitschirurg erkennt wirklichkeitsferne Wunschträume und zweifelhafte Motive. Dr. Rolf Kleinen: „Wenn eine junge Frau sich die Lippen vergrößern lassen will, weil sie ihrem Freund nicht gefällt, rate ich ihr, am besten den Freund zu wechseln."

bleibende
Nervenschäden
deformierte
Lippen
GRAMMATIK 25–27

AB 25–28

SÄTZE BAUEN 28

**c** Welche negativen Folgen können Schönheitsoperationen haben? Suchen Sie im Text die Textstellen und markieren Sie sie.

**d** Was sind Ihrer Ansicht nach die wichtigsten Aussagen, die der Autor zu Schönheitsoperationen macht? Ergänzen Sie die Wendungen und Ausdrücke.

Der Autor ist der Ansicht, dass ..........................................................................

Im Text heißt es, dass ..........................................................................

Der Autor kritisiert, dass ..........................................................................

Im Text steht, ..........................................................................

# D Schönheit um jeden Preis

**D2**  Oder lohnt sich das Risiko?

**a**  Der Text ist in seiner Kritik recht einseitig. Lesen Sie die Auszüge aus zwei Leserbriefen.
Welche Argumente für Schönheitsoperationen werden in diesen Beiträgen genannt?
Sprechen Sie.

> **1**  Es ist sicher gerechtfertigt, auf die Risiken bei Schönheitsoperationen
> aufmerksam zu machen. Ich möchte aber darauf hinweisen, dass nicht
> nur Eitelkeit und ein übertriebenes Schönheitsideal Beweggründe für
> solche Operationen sind. Schließlich gibt es Menschen, die wegen ihres
> Aussehens zu Außenseitern geworden sind. Darüber hinaus bin ich der
> Meinung, dass der Berufsstand der plastischen Chirurgen nicht gene-
> rell schlechtgemacht werden sollte. (Maria K. aus Baden-Baden)

darüber hina[u]
außerdem ...
zum einen ...,
zum andere[n]
einerseits ...
andererseits
GRAMMATIK 2[9]

AB 29–32

SÄTZE BAUEN
TEXTE BAUEN

> **2**  Zum einen ist es ja völlig richtig, von hohem Risiko zu sprechen, zum
> anderen kann es aber auch durchaus zwingende Gründe für Schön-
> heitsoperationen geben. Wie viele Leute haben psychische Probleme
> wegen angeborener anatomischer Fehler?! Dazu kommt, dass gerade
> viele Frauen und Mädchen nicht aus eigener Motivation einen Schön-
> heitschirurgen aufsuchen. Außerdem sollte man bedenken, dass die
> Ärzte im Allgemeinen den Menschen helfen möchten. (Franz H. aus Emden)

**b**  Markieren Sie die Wendungen und Ausdrücke in Text 1 und in Text 2,
mit denen die Autoren ein weiteres Argument hinzufügen.

**c**  Welche Argumente haben Sie überzeugt? Machen Sie Notizen.
Schreiben Sie dann zu zweit einen Text zum Thema „Schönheitsoperationen".
Verwenden Sie die Wendungen und Ausdrücke, die Sie in D gelernt haben.

---

# Fokus Grammatik: Partizip I und Partizip II als Adjektiv im Kontext

---

**1**  **a**  Zwei Ärzte in einem Raum.
Wer ist wer?
Ordnen Sie zu.

**b**  Wer tut etwas, wer tut nichts?
Tragen Sie Person A oder B ein.

Person ☐ : Er tut etwas.
Person ☐ : Er tut nichts.

Person **A** : der behandelnde Arzt
Person **B** : der behandelte Arzt

**c**  Lesen Sie den Text und lösen Sie die Aufgabe.

Gegrillter Ziegenkäse im Speckmantel an frischem Salat und danach Carpaccio, hauchdünn geschnittenes
Rinderfilet mit hausgemachtem Basilikumpesto, bestreut mit Pecorino, dazu etwas Salat und Weißbrot

Was ist richtig? Kreuzen Sie an. Erklären Sie dann die anderen Zutaten der Vorspeise.
Gegrillter Ziegenkäse ist ein Käse, **a** ☐ der gerade gegrillt wird. **b** ☐ der gegrillt wurde.

**2**  **a**  Lesen Sie die Buchtitel.
Was bedeuten sie? Machen Sie den Versuch einer Erklärung.

**A** Der geschenkte Gaul* ◆ **B** Das verlorene Paradies ◆ **C** Lachend die Wahrheit sagen ◆ **D** Allein,
verlassen, verloren ◆ **E** Fast geschenkt ◆ **F** Sprechend singen, singend sprechen ◆ **G** Ein fliehendes Pferd

* = Pferd

# Fokus Grammatik: Partizip I und Partizip II als Adjektiv im Kontext

**b**  Lesen Sie den Text und lösen Sie die Aufgabe.

*... Als plötzlich, jäh und ungestüm, ein grauslich graues Ungetüm,*
*ein richtig schlimmes Drachenvieh, das Feuer, Gift und Galle spie,*
*sich fliegend näherte dem Reiter und sprach: „Bis hierher und nicht weiter!"*

Heinz Erhardt

Was ist richtig? Kreuzen Sie an.

**ein Drachenvieh, sich fliegend näherte dem Reiter**
a ☐ das Drachenvieh fliegt zuerst und kommt dann näher
b ☐ das Drachenvieh kommt näher und fliegt dabei

**c**  Was passt? Markieren Sie.

Gestern Abend goss sich der berühmte Drei-Sterne-Koch des Gasthofs Neuwirt, Hans P. ☐ gekochtes ☐ kochendes Wasser über die Hand. Der ☐ alarmierende ☐ alarmierte Rettungsdienst brachte den Koch sofort in die Kreisklinik. Der ☐ gerufene ☐ rufende Arzt, ein Spezialist für Verbrennungen, schaute sich die ☐ verbrannte ☐ verbrennende Haut an und konnte den ☐ erschrockenen ☐ erschreckenden Koch beruhigen. Nach der Behandlung mit einer ☐ gekühlten ☐ kühlenden Salbe konnte der Koch in sein voll ☐ besetztes ☐ besetzendes Restaurant zurückkehren.

**d**  Mit oder ohne Endung? Ergänzen Sie, wo es nötig ist.

1 Wie gestresst..... sind Sie eigentlich? Machen Sie den Kurztest. Wenn Sie dreimal *ja* ankreuzen, sind Sie urlaubsreif.

|  | ja | nein |
|---|---|---|
| Haben Sie ... | | |
| schmerzend..... Finger? | ☐ | ☐ |
| zuckend..... Mundwinkel? | ☐ | ☐ |
| brennend..... Augen? | ☐ | ☐ |
| stechend..... Schmerzen im Magen? | ☐ | ☐ |

2 Unser nächster Vortrag: gestresst ..... oder empfindlich ..... ? Über die Schwierigkeit, mit den eigenen Gefühlen klarzukommen.

3 Diese endlosen nachmittäglichen Talk-Shows – ermüdend..... und nervend..... zugleich. Wer guckt das eigentlich?

4 Sind Ihre Mitarbeiter gestresst.....? Haben Sie überlastet..... Kollegen? Stehen Sie vor erschöpft..... Arbeitsgruppen? Wir zeigen Ihnen, welche Wege es für Ihr Unternehmen gibt, die Probleme zu lösen.

AB 34

# E Ein neues Leben

HÖREN
LESEN
SPRECHEN

32

## Hören Sie den Anfang einer Talkshow und beantworten Sie dann die Fragen.

1 Welche Personen nehmen an der Talkshow teil? Kreuzen Sie an.
☐ Pfarrer
☐ Psychologin
☐ Lena Gassner
☐ Franz Gassner
☐ Frau Gassners Kinder
☐ Moderator

2 Welche Aussagen über Lena Gassner sind richtig?
☐ gelernte Krankenschwester
☐ verheiratet mit Franz Gassner
☐ Mutter von fünf Kindern
☐ pflegt ihren kranken Vater
☐ Traumberuf Landwirtin
☐ zurzeit in der Dritten Welt tätig

## Diskussion in der Talkshow

Bilden Sie Vierergruppen. Entscheiden Sie dann, wer welche Person in der Talkshow spielt.
Bitte lesen Sie anschließend Ihre Rollenbeschreibung (Moderator: Seite 132, Pfarrer: Seite 135, Herr Gassner: Seite 129, Psychologin: Seite 134). Sammeln Sie in dieser Lektion Wendungen und Ausdrücke, die Sie in der Diskussion verwenden möchten. In der Talkshow sollen Sie nun „Ihre Standpunkte" vertreten und über „Ihr Problem" sprechen.

### etwas bewerten

Der ist todesmutig / ....
Dieser Sport ist doch einfach sinnlos / ...
Es kommt mir vor, als ob ... wäre
Es kommt mir vor, als wäre er ...
Mir kommt das sinnlos / ... vor.

### Vermutungen formulieren

Ich könnte mir vorstellen, dass er ...
Meiner Meinung nach könnte es sein, dass er ...
Vielleicht aber auch, weil ...
Er wird wohl ...

### etwas erklären

Das heißt (wahrscheinlich), (dass) ...
Das bedeutet, (dass) ...
Ich würde das mit folgendem Beispiel erklären: Wenn ...

### etwas begründen

Deshalb habe ich ...
Daher habe ich ...

### Gegensätze formulieren

Obwohl / (Obgleich / Obschon) ich ganz schön viel Geld verloren habe, kaufe ich ...
Trotz meines Gewinns höre ich ... auf
Ich würde sofort verkaufen, obwohl ich ...
Ich habe zwar kein Geld verloren, trotzdem / dennoch würde ich ...

### Textinhalte in einem Satz wiedergeben

Der Autor ist der Ansicht, dass ...
Im Text steht, dass ...
Im Text heißt es, dass ...
Der Autor schreibt/meint ...
Der Autor kritisiert, dass ...

### Argumente ergänzen

... darauf hinweisen, dass ...
Zum einen ..., zum anderen ...
Einerseits ..., andererseits ...
Darüber hinaus ...
Dazu kommt noch ...
Außerdem sollte man ...

## Konzessive Angaben: widersprechen

Sie hat wenig Geld. ← Widerspruch → Sie kauft Risikoaktien.

### mit Konjunktion

Obwohl sie wenig Geld hat, kauft sie Risikoaktien.
Sie kauft Risikoaktien, obwohl sie wenig Geld hat.

Alternativen (weniger gebräuchlich):
*obgleich, obschon*

Sie hat wenig Geld, trotzdem kauft sie Risikoaktien.
Sie hat wenig Geld. Sie kauft trotzdem Risikoaktien.
Sie hat wenig Geld, dennoch kauft sie Risikoaktien.
Sie hat wenig Geld. Sie kauft dennoch Risikoaktien.

### mit Präposition

Trotz permanenten Geldmangels kauft Frau Semmel Risikoaktien.
Frau Semmel kauft trotz permanenten Geldmangels Risikoaktien.

### finale Angaben: Zweck/Absicht formulieren

#### mit der Präposition *als*
Extremsport als Kontrast zum langweiligen Alltag

## Partizip I und Partizip II als Adjektiv

### Partizip I
#### im Satz
Wer ist hier der behandelnde Arzt?
Und die Nudeln kommen dann in kochendes Wasser.

Der Arzt tut etwas: Er behandelt jemanden.
Etwas passiert jetzt oder gleichzeitig.

#### Formen

|     | Infinitiv + | d | + Adjektivendung |        |
|-----|-------------|---|------------------|--------|
| der | behandeln   | d | e                | Arzt   |
| in  | kochen      | d | es               | Wasser |

Das Partizip I hat nur diese eine Form.

### Partizip II
#### im Satz
Gegrillten Ziegenkäse mag ich nicht so gern.

Der Ziegenkäse tut nichts. Jemand hat ihn gegrillt.

#### Formen

|     | Partizip II + | Adjektivendung |         |
|-----|---------------|----------------|---------|
| der | behandelt     | e              | Patient |
|     | geschnitten   | es             | Filet   |

Das Partizip II hat verschiedene Formen.
Diese haben Sie beim Perfekt kennengelernt.

## Wortbildung: Adjektiv

### mit Adjektiven
#### aus Nomen
| lebensmüde      | (das Leben/müde)      |
|-----------------|-----------------------|
| lebensgefährlich| (das Leben/gefährlich)|
| todesmutig      | (der Tod/mutig)       |

#### aus Verben
| bewundernswert  | (bewundern/wert)      |

## Argumente ergänzen

### Konjunktionen:
Darüber hinaus bin ich der Meinung, ...
Zum einen / Einerseits ist es völlig richtig, ...
Zum anderen / Andererseits kann es aber auch ...
Außerdem sollte man nicht vergessen, ...

## Irreale Vergleiche: *als, als ob* (mit Konjunktiv II)

Es kommt mir vor, als wäre er lebensmüde.

In der Schriftsprache manchmal auch mit Konjunktiv I:
Es kommt mir vor, als sei er lebensmüde.

Es kommt mir vor, als ob er lebensmüde wäre.

In der aktuellen Sprache manchmal auch im Indikativ:
Es kommt mir vor, als ob er lebensmüde ist.

# Immer wieder ...

erfolgt der Start. Ob in Kiel, Innsbruck, Davos, Aachen oder Zürich. Auf dem Wasser oder im Wasser, auf Schnee, auf Sand oder einer ausgebauten Bahn. Immer geht es um Medaillen, um Sponsoren, Übertragungsrechte und anreisende Fans. Sport vereint, schafft Brücken, zumindest in der Weltgemeinde der Fernsehzuschauer. Kennen Sie die Veranstaltungsorte, die Wettkämpfe? Wer war diesmal mit dabei?

Vierschanzentournee

Kieler Woche

Triathlon: Ironman

Formel 1 am Nürbur

Speng

von Europa

Chio Aachen, Weltfest des Pferdesports

50° 46' N

Verrückt  E1 a

**A**

# Land in Sicht – auf nach Zürich!

So heißt die Aktion, in deren Rahmen der Alpabzug realisiert wurde. Kühe in der Schweiz? Das kennt man ja. Aber in Zürich? Wie kommen die dahin?

Ganz einfach: Die City Vereinigung Zürich, die über 1500 Mitglieder hat, suchte nach einer tollen Idee, wie man Städte-Touristen auf die Stadt Zürich aufmerksam machen könnte. Die Lösung von Herrn Walter Knapp lautete: Kühe. Nein, keine echten, sondern künstliche Kühe, künstlerisch gestaltet. Dazu wurden drei Prototypen in drei verschiedenen, für Kühe typischen Stellungen entwickelt, wobei die Kühe der Form und der Körperhaltung nach wie echte Kühe aussehen mussten: Das wurde u. a. vom Braunviehzüchter-Verband kontrolliert. Damit das Ganze nicht furchtbar langweilig würde, wurden diese 815 Kuhskulpturen verkauft. Die Käufer waren Firmen, Geschäfte, Büros, insgesamt fast 400 Käufer. Nun gab es also 815 gleich aussehende, unattraktive Kuh-Rohlinge. Und dann wurden rund 400 Personen beauftragt, die Kühe künstlerisch zu gestalten: Das waren Grafiker, Künstler, aber manchmal auch Schulklassen, die nun die Kühe ausschmücken, bemalen, verzieren durften, ganz nach ihren eigenen Vorstellungen (na ja, manchmal auch ein wenig nach den Vorstellungen der Geschäftsleute). Gespart wurde dabei nicht. Und was ist daraus geworden? Eine Freiluftkunstausstellung. Das kann man sich nicht vorstellen, wenn man es nicht gesehen hat, wie unterschiedlich diese Kühe wirken, manche allein irgendwo, manche in Gruppen. Eine Ausstellung aktueller Kunst. Ein Stadtrundgang, der zum Museumsbesuch wird. Denn die Gebäude, Straßen und Plätze, an denen die Kühe stehen, bekommen dadurch eine ganz andere Bedeutung; auch wer die Stadt kennt, sieht sie plötzlich mit anderen Augen.

Nutzen Sie die Sommermonate wie schon eine Million Besucher, die Ihnen zuvorgekommen sind und die Kühe unbedingt sehen wollten.

Kunst auf der Straße, Art on Streets – eine neue Form des Kunstgenusses ohne Eintritt, ohne museale Stille.

Es werden zahlreiche Stadtführungen zum Thema angeboten.

## Gewinnen  B2 c

**C**

### Sumpffußball

Sumpffußball ist eine Fun-Sportart – und setzt echte Sportbegeisterung sowie ein faires Sportverhalten voraus. Sumpffußball ist ein Mannschaftssport. Wir unterscheiden dabei zwischen Männermannschaften, Frauenmannschaften und gemischten Mannschaften, die immer mindestens zwei Frauen auf dem Spielfeld haben müssen. Sumpffußball wird, wie schon der Name sagt, draußen auf einem Sumpf- oder Matschspielfeld gespielt. Grundsätzlich gelten die Regeln des regulären Fußballs, jedoch mit einigen Abweichungen.

Jede Mannschaft besteht aus sechs Spielern: einem Torhüter und fünf Spielern auf dem Spielfeld. Für die Anzahl der Ersatzspieler gibt es keine Beschränkungen. Die Mannschaften müssen erkennbar die gleichen T-Shirts tragen, die sich von denen der gegnerischen Mannschaft deutlich unterscheiden müssen.

Gespielt wird insgesamt 24 Minuten lang, jede Halbzeit dauert 12 Minuten. Ziel des Spieles ist es, den Ball mit den Füßen ins gegnerische Tor zu befördern und so möglichst viele Tore zu erzielen. Gewonnen hat die Mannschaft mit den meisten erzielten Toren.

Das Sumpffußballfeld entspricht ungefähr der Größe eines Hallenfußballfeldes, also 20 mal 40 Meter.

Beim Sumpffußball gilt die Abseitsregel nicht; das ist vielleicht der markanteste Unterschied. Einwürfe, Eckbälle, Freistöße und Strafstöße (siehe dazu die Regeln des klassischen Fußballs) werden so ausgeführt, dass der Ball mit den Händen auf den betreffenden Fuß fallen gelassen wird. Es gibt grundsätzlich nur indirekte Freistöße.

Vom Spielfeld genommen wird ein Spieler, wenn er

- ein grobes Foul begeht,
- gewaltsam spielt,
- einen Gegner oder irgendeine andere Person anspuckt,
- ein Tor oder eine offensichtliche Torchance eines Gegenspielers durch absichtliches Handspiel verhindert oder zunichte macht (dies gilt nicht für den Torwart in seinem Strafraum),
- einem auf sein Tor zulaufenden Gegenspieler eine offensichtliche Torchance nimmt, indem er eine mit Freistoß oder Strafstoß zu ahndende Regelübertretung begeht,
- anstößige, beleidigende oder schmähende Äußerungen oder Gebärden gebraucht,
- eine zweite Verwarnung im selben Spiel erhält.

# Erlebt F1

**Wann ist man „erwachsen"?**
**Lesen Sie und betrachten Sie die Fotos.**

Die Volljährigkeit tritt mit der Vollendung des 18. Lebensjahres ein.

Vollendung des 15. Lebensjahres: Ende des allgemeinen Beschäftigungsverbotes (§ 5 JArbSchG)

In Österreich ist die Ehemündigkeit im Ehegesetz geregelt. Demnach müssen beide Partner 18 Jahre alt sein.

Die UN-Generalversammlung definiert Personen, die älter als 15 Jahre und jünger als 25 Jahre alt sind, als Jugendliche.

# Gewinnen B2 C

## Extrembügeln

Das Extrembügeln ist eine Spaß-Sportart oder aus der Sicht der Sportler auch eine Extremsportart, bei der die Teilnehmer unter möglichst ungewöhnlichen und unpraktischen Bedingungen in der freien Natur Wäschestücke bügeln. Extrembügeln ist in der Regel ein Einzelwettkampf, wobei manchmal auch schon Mannschaftswettkämpfe ausgetragen werden.
Bügeleisen und Bügelbrett sind während des gesamten Wettkampfes am eigenen Körper mitzuführen.

Für das Bügeln kommen handelsübliche Bügeleisen zum Einsatz. An Orten, an denen keine elektrische Stromversorgung zur Verfügung steht oder aufgrund von Feuchtigkeit nicht genutzt werden kann, wird die Heizplatte durch Hilfskonstruktionen (zumeist Gaskocher) erwärmt oder auf chemikalischem Weg erhitzt. Auch das Bügelbrett sollte handelsüblich sein, also aus einem bezogenen Bügeltisch und einer Unterkonstruktion zum Abstellen bestehen. (Nur in Ausnahmefällen kommen Spezialanfertigungen zum Einsatz.)
Ziel eines jeden Wettkampfes ist es, die mitgeführte Wäsche möglichst tadellos zu bügeln und so auch den Schiedsrichtern zu präsentieren. Gewonnen hat, wer seine Wäsche am ordentlichsten gebügelt und zurücktransportiert hat. Wer sein Bügeleisen, sein Bügelbrett oder seine Wäsche verliert, ist ausgeschieden. Es muss also alles, was man mitgenommen hat, auch zurückgebracht werden: Wäsche, gebügelt, Bügeleisen und Bügelbrett.

Extrembügeln als Sportart gibt es in verschiedenen Unterdisziplinen, die danach benannt werden, wo das Bügeln ausgeführt wird: im Gebirge, im urbanen Raum, im Wald, unter Wasser usw. Während das Ergebnis bei den meisten Unterdisziplinen tatsächlich am Bügelergebnis gemessen werden kann, ist dies bei anderen unmöglich, beispielsweise wenn unter Wasser gebügelt wird. Da gelten dann andere Regeln.

# Eintauchen in die Stadt

**Microsoft testet eine neue Generation von Online-Stadtplänen.**
**Durch Seattle und San Francisco kann man im Netz schon spazieren.**

Die Kneipe ist wirklich super. Du weißt es noch genau. Am Parkhaus musste man rechts rein und dann noch ein Stück und gegenüber von der Tankstelle, da war's. Wie die Straße heißt, weißt du natürlich nicht mehr, aber die Musik war super und der Kellner sehr nett.
Mit diesen Informationen kann man vielleicht einen gelungenen Abend nacherzählen, den Ort des Geschehens findet man so sicher nicht wieder.

Was also tun? Dank Google Maps kann man sich aus der Vogelperspektive der gesuchten Häuserzeile nähern. Das ist ein kompliziertes Unterfangen, denn damals, als es so nett war, lief man ja durch die Straße und schwebte nicht darüber. Die bewegliche Internet-Straßenkarte bietet aber nur den Blick aus den Wolken auf die Stadt. Deshalb sieht man in Internet-Cafés immer häufiger Menschen, die umständlich den Kopf verdrehen. Sie glauben, sie können so in die Häuserzeilen eintauchen, die sie nur von oben auf ihrem Bildschirm sehen können.
Die Menschen von Microsoft haben offenbar viele leidende Kopfdreher in Internet-Cafés beobachtet – und Mitleid für sie empfunden. Sie arbeiten nämlich an einer Lösung des Online-Kartenleser-Problems: Unter preview.local.live.com kann man tatsächlich in Städte eintauchen. Laufend, per Sport- oder Rennauto kann man die Straßen tatsächlich befahren, die man bei Google Maps nur von oben überfliegen kann. Zunächst nur im Innenstadtbereich von Seattle und San Francisco, aber das Ganze ist als Vorschau für das Microsoft-Projekt „Virtual Earth" gekennzeichnet. Es ist also davon auszugehen, dass man bald auch am Parkhaus vorbei, rechts rein gegenüber von der Tankstelle die tolle Kneipe wiederfindet. Du musst dich nur erinnern, in welcher Stadt du diesen tollen Abend verbracht hast.

## Erlebt C4 c

Ich trage ihn trotzdem, Tag und Nacht, weil ich glaube, dass es Unglück bringt, Dinge gering zu schätzen, nur weil sie nicht viel Geld wert sind. Ich wette, würde ich ihn ablegen, würde ich sofort überfahren werden oder mein Freund hätte bald eine andere.

| | | | | |
|---|---|---|---|---|
| **A** | | | **KSSM** | Kein Schwein schreibt mir |
| AKLA | Alles klar? | | KV | Kannst vergessen |
| AS | Antworte schnell | | | |
| | | | **L** | |
| **B** | | | LAMIINFRI | Lass mich in Frieden |
| BB | Bis bald | | LAMITO | Lach' mich tot |
| BIGBEDI | Bin gleich bei Dir | | LDM | Liebst Du mich? |
| BRADUHI | Brauchst Du Hilfe? | | LIDUMINO | Liebst Du mich noch? |
| BSE | Bin so einsam | | LZS | Lust zu schreiben? |
| BVID | Bin verliebt in Dich | | LAMAWI | Lach mal wieder |
| BBB | Bye-bye, Baby | | LG | Liebe Grüße |
| BIALZHA | Bin allein zu Haus | | | |
| BIDUNOWA | Bist Du noch wach? | | **M** | |
| BIGLEZUHAU | Bin gleich zu Hause | | MAD | Mag Dich |
| BSG | Brauche sofort Geld | | MAMIMA | Mail mir mal |
| | | | MUMIDIRE | Muss mit Dir reden |
| **C** | | | | |
| CU | See you (Wir sehen uns!) | | **N** | |
| COLA | Come later | | N8 | Gute Nacht |
| | | | NEWS | Nur ein wenig sauer! |
| **D** | | | NFD | Nur für Dich |
| DAD | Denk an Dich | | NP | No problem |
| DDR | Du darfst rein | | | |
| | | | **Q** | |
| **F** | | | Q4 | Komme um vier |
| FANTA | Fahr' noch tanken | | | |
| | | | **R** | |
| **G** | | | RUMIAN | Ruf mich an |
| GA ... | Gruß an ... | | RE | zurück |
| G+K | Gruß und Kuss | | | |
| GN8 | Gute Nacht | | **S** | |
| GG | gegen | | SMS | Servus, mein Schatz |
| | | | STIMST | Stehe im Stau |
| **H** | | | STN | Schönen Tag noch! |
| HAND | Have a nice day | | SMILE | So möchte ich leben |
| HAHU | Habe Hunger | | SNIF | traurig |
| HASE | Habe Sehnsucht | | SP | Sendepause |
| HDL | Hab' Dich lieb | | | |
| HDGDL | Hab' Dich ganz doll lieb | | **T** | |
| HEGL | Herzlichen Glückwunsch | | TUS | Tanzen unter Sternen |
| | | | TABU | Tausend Bussis |
| **I** | | | THX | Thank you |
| IEL&T | In ewiger Liebe und Treue | | | |
| ILD | Ich liebe Dich | | **W** | |
| ILIDIUVEMIDI | Ich liebe Dich und vermisse dich | | WAMADUHEU | Was machst Du heute? |
| ISDN | Ich sehe Deine Nummer | | WASA | Warte auf schnelle Antwort |
| IWIFLI | Ich will flirten | | WAUDI | Warte auf Dich |
| | | | WIDUMIHEI | Willst Du mich heiraten? |
| **K** | | | | |
| KO20MISPÄ | Komme 20 Minuten später | | **Z** | |
| KUWIHEBEKERZ | Kuscheln wir heute bei Kerzenschein? | | ZDOM | Zu Dir oder zu mir? |
| KATZE | Kannste tanzen? | | ZUMIOZUDI | Zu mir oder zu Dir? |

# Eintauchen E4

**Sie möchten sich mit dem Thema „Sammeln" als Hobby beschäftigen.**
**Dann lösen Sie jetzt bitte die folgenden Aufgaben.**

1 Was sammeln Sie oder würden Sie gern sammeln? Notieren Sie.

2 Schreiben Sie Ihre Sammelobjekte auf und sortieren Sie sie. Gibt es ähnliche Sammelgebiete?
Bilden Sie „Sammlerklubs".

3 Gesprächsrunde im Klub. Sprechen Sie über die folgenden Punkte.
Verwenden Sie auch die Wendungen und Ausdrücke aus E3a.

   – Wann das Sammeln angefangen hat und was das erste Stück war.
   – Wie oft man etwas Neues bekommen hat. / Wie oft etwas Neues gekauft wurde?
     Wie viele neue Teile gekauft wurden.
   – Wie viele Teile man überhaupt hat / gern hätte.
   – Wie das war, als man das erste Stück ....
   – Was bisher das beste / teuerste / wichtigste / wertvollste Stück war.


# Erlebt B2 a

Text **1**

**a** Lesen Sie die Aussagen. Hätten Sie das gedacht? Kreuzen Sie an.

| Jung sein in Deutschland | Das finde ich erstaunlich. | Das kann doch nicht stimmen! | Das überrascht mich nicht. |
|---|---|---|---|
| 53 % aller Kinder leben ohne Geschwister. | ☐ | ☐ | ☐ |
| Knapp die Hälfte der 10-Jährigen besitzt ein eigenes Handy. | ☐ | ☐ | ☐ |
| 96 % der Kinder helfen im Haushalt mit. | ☐ | ☐ | ☐ |
| Kinder sind heute täglich zwei Stunden länger mit Schule, Schulweg und Hausaufgaben beschäftigt als noch im Jahr 1990. | ☐ | ☐ | ☐ |
| Wahrscheinlich wird jedes zweite Kind, das heute in Deutschland zur Welt kommt, seinen hundertsten Geburtstag erleben. | ☐ | ☐ | ☐ |
| 71 % der Jugendlichen würden ihre eigenen Kinder ungefähr so oder genauso erziehen, wie sie es von ihren Eltern kennen. | ☐ | ☐ | ☐ |
| 73 % der Jugendlichen im Alter von 18 bis 21 Jahren leben noch bei ihren Eltern. | ☐ | ☐ | ☐ |
| Etwa 25 % der Studentinnen und der Studenten beenden ihr Studium ohne Abschluss. | ☐ | ☐ | ☐ |

**b** Ergänzen Sie.

1 Ich hätte nicht gedacht, dass 53 Prozent …
2 Jedes zweite …, das ist ja unglaublich!
3 Mehr als die Hälfte …, das kann doch nicht stimmen!
4 Fast genauso viele, nämlich 73 %, leben noch … Das finde ich erstaunlich.
5 Ein Viertel der … Das überrascht mich.

# Gewinnen

Lesen Sie den folgenden Text und lösen Sie die Aufgaben. Machen Sie sich Notizen.

**Hallo,**

gestern kam er ins Haus geflattert, der erste Bußgeldbescheid meines Lebens. Was ich auf Deutschlands Straßen verbrochen habe, wollt Ihr wissen? Ganz einfach:
Ich hatte, behauptet die Polizei, bei Tempo 106 nur 20 Meter Abstand zu meinem Vordermann.
Und so gesehen stimmt das auch. Klar war der nur knapp vor mir, war er doch gerade erst von der anderen Spur rübergekommen und in die dafür zu kleine Lücke eingeschert.

Die Polizei interessiert sich wohl nicht für folgende Tatsache: Man gefährdet doch eher die Verkehrs-sicherheit, wenn man eine Notbremsung macht, um den Sicherheitsabstand zu wahren. Ich dachte immer, dass es bei guter Sicht und Verkehrslage besser wäre, langsam abzubremsen und so wieder den notwen-digen Abstand zu gewinnen. Aber das scheint nicht so zu sein, sonst würde ich ja nicht bestraft.

Und stellt Euch vor: Ich muss nicht nur 75 Euro Bußgeld bezahlen (darin sind auch die Gebühren enthalten), sondern ich bekomme auch noch zwei Punkte in Flensburg. Zwei Punkte, obwohl ich nichts dafür kann. Das kann mir ja jeden Tag passieren, und dann ist mein Führerschein in Null-Komma-Nichts weg. Punkte dafür, dass man nichts getan hat und auch noch versucht hat, die Verkehrssicherheit nicht zu gefährden. Das macht mir Angst. Vielleicht auch, weil ich noch nie Ärger im Straßenverkehr hatte.

Kann man die Polizei wirklich nicht überzeugen? Gibt es keine Möglichkeit, die Punkte wegzuargumentie-ren? Mir ist jede Idee und Anregung wirklich wichtig.

Grüße vom sonst sehr schönen Niederrhein
**Peter**

- Was bedeutet hier „Abstand gewinnen"?
- Beschreiben Sie Peters Problem.
- Was ärgert ihn an der Strafe?
- Sammeln Sie Vorschläge, die Peter bei der Lösung seines Problems helfen könnten.

# Gewinnen

## Handy-Weitwurf ...

... ist eine sportliche Betätigung, bei der Mobiltelefone (Handys) möglichst weit geworfen werden.

Hier werden die Regeln beschrieben, wie sie auch für die Vereinigung Deutscher Handywerfer e.V. gelten: Geworfen werden grundsätzlich Handys ohne Akku. Bei den Wettkämpfen werden Einzelwettkämpfe und Sportveranstaltungen, in denen Mannschaften gegeneinander antreten, unterschieden.

**Einzelwettkampf:**
Der Handy-Weitwerfer kann für sich entscheiden, wie er sein Handy abwirft. Er kann einen Anlauf nehmen oder aus dem Stand werfen. Es wird keine Wurftechnik vorgeschrieben. Er darf aber die Abwurflinie beim Abwurf natürlich nicht übertreten, denn dann ist der Wurf ungültig. Jeder Teilnehmer hat drei Versuche. Jeder Versuch erfolgt mit einem Handy, das einer anderen Gewichtsklasse angehört. 1. Wurf: Der Teilnehmer wirft ein Handy, das 50 bis 100 Gramm wiegt. Beim zweiten Wurf hat das Handy 100 bis 200 Gramm, beim dritten Versuch 200 bis 300 Gramm. Der weiteste Wurf geht in die Wertung ein, egal, mit welchem Handy das erreicht wurde. Gewonnen hat der Teilnehmer, der mit einem Handy den weitesten Wurf geschafft hat. Der Teilnehmer darf nicht sein eigenes Handy nehmen; die Handys werden vom Wettkampfveranstalter gestellt, sodass jeder die gleichen Chancen hat.

**Gruppenwettkampf:**
Hier kämpfen jeweils vier Teilnehmer miteinander um den Sieg. Die Regeln für die Würfe sind die gleichen wie beim Einzelwettkampf. Jeder Teilnehmer bringt seinen persönlich besten Wurf in die Mannschaftswertung ein. Die vier Weiten werden dann zu einer gemeinsamen Weite addiert. Die Mannschaft mit dem insgesamt „weitesten Wurf" hat gewonnen.

Text **2**

Lesen Sie den folgenden Text und lösen Sie die Aufgaben. Machen Sie sich Notizen.

Abstand vom Alltag gewinne ich am besten während der Zugfahrt in die Heimat. Wenn ich so durch die Landschaft kutschiert werde, wird mir bewusst, wie mein Leben als neuerdings berufstätige Frau so läuft.

Mein Job macht Spaß, ist aufregend und vor allem sinnvoll. Die Kollegen sind nett und lassen mich schon ganz gut mein Ding machen. Mein Büro liegt in Fahrradnähe, und wenn es allzu heiß ist, gibt es entweder Eis oder hitzefrei. Von meinem Gehalt kann ich gut leben.

Jetzt muss ich nur noch den neuen Alltagsrhythmus etwas besser auf die Reihe kriegen. Dass nach dem Feierabend noch so viel im Haushalt gemacht werden muss, nervt schon. Waschen, einkaufen und aufräumen – das alles konnte ich sonst quasi nebenbei, am Vormittag machen. Jetzt wartet all dies abends auf mich. Nach der Arbeit, auf dem Weg nach Hause, quält mich meistens schon ein wahnsinniger Hunger. Echt doof, wenn man dann gegen acht merkt, dass die Vorräte aufgebraucht sind. Bleibt nur noch der Weg zum Pizzaservice. Holger kann bald keine Pizza mehr sehen. Wie machen das andere berufstätige Frauen?

Britt

- Was bedeutet hier „Abstand gewinnen"?
- Wie war Britts Alltag früher? Wie sieht ihr neuer Alltag aus?
- Was ist ihr eigentliches Problem?
- Sammeln Sie Vorschläge, die Britt bei der Lösung ihres Problems helfen könnten.

Verrückt E1 a

B

# documenta

Alle fünf Jahre findet sie statt, die documenta in Kassel. Ein Großereignis für Kunstinteressierte, für die Medien, für alle, die wissen wollen, wo es langgeht mit der modernen Kunst. Wer was in Zukunft sein wird auf dem modernen Kunstmarkt. Und so gibt es sie wieder, nun die documenta 12. Ganz Kassel erwartet die Besucher im documenta-Fieber. Die Deutsche Bahn bietet Sonderkonditionen an: Sie können mit der Fahrkarte auch gleich ein Hotelzimmer buchen. Hundert Tage lang dreht es sich in Kassel nur um Kunst. Es werden Arbeiten von 109 Künstlern/innen gezeigt. Dazu gibt es ein umfassendes Veranstaltungsprogramm sowie ein umfangreiches Kinoprogramm.

Die documenta 12 bespielt mehrere Ausstellungsorte. Sie liegen, wenn man auf den Stadtplan schaut, zwischen den beiden Parklandschaften Kassels, der Karlsaue und dem Bergpark. Das Museum Fridericianum, die documenta-Halle, die Neue Galerie liegen in der Innenstadt Kassels und sind gut zu Fuß zu erreichen. Das Kulturzentrum Schlachthof liegt etwa 2,5 km vom Zentrum entfernt, das Schloss Wilhelmshöhe ungefähr 5,5 km. Mit öffentlichen Verkehrsmitteln sind aber beide ebenso wie das Gloria-Kino gut zu erreichen. Jedes dieser Gebäude steht für ein Jahrhundert, für eine Vorstellung von Öffentlichkeit und eine Idee von Kunstbetrachtung. Die Ausstellungsorte sind täglich von 10 bis 20 Uhr geöffnet. Aber nicht nur in den Gebäuden, sondern auch im öffentlichen Raum gibt es Kunst zu sehen.

# Verrückt E1

## Neue Sammlung
## Design in der Pinakothek der Moderne München

Die bedeutendste Sammlung zum Thema Industrie-Design gliedert sich in mehrere Abschnitte: In der Abteilung Visionen kann man Entwürfe weltberühmter Designer sehen, die aber, da sie über die Vorstellungen und Bedürfnisse unserer Alltagswelt hinausgehen, noch nie realisiert wurden oder auch nie realisiert werden. In der Abteilung Fahrzeug-Design werden Autos und Motorräder ausgestellt, die die Entwicklung der Kraftfahrzeuge bedeutend veränderten. So führt auch die Ausstellung zum Thema Computer-Design von den Anfängen, die die heutigen Kinder zum Lachen reizen, aber ungeheuren Fortschritt darstellen, zur Gegenwart, mit Ausstellungs- stücken, vor denen selbst Fachleute staunend stehen. Die Abteilung Design-Geschichte zeigt Alltagsgegen- stände, die den Betrachter auch heute noch in Begeisterung ausbrechen lassen oder ihn in seine Kindheit zurückversetzen. Die Bugholz-Sammlung enthält eine Fülle fein gearbeiteter Möbel, darunter das vielleicht berühmteste Möbelstück: den Thonet-Stuhl. Paternoster sind riesige Schaukästen, die wechselnd Design- Varianten von Handys, Sportschuhen, Brillen und vielem mehr vorstellen, darunter viele Objekte der gerade aktuellen Mode. In der Danner-Rotunde kommen Schmuckinteressierte auf ihre Kosten.

Insgesamt bietet das Museum mit seinen über 20 Sammelgebieten, welche die Zeit von etwa 1900 bis heute abdecken, für den Interessierten wie auch für den Fachmann eine Bandbreite von Gegenständen und Themen, wie man sie nirgendwo anders finden kann, zumal die Sammeltätigkeit sich auch auf industriell produzierte Gegenstände erstreckt und nicht nur auf Einzelanfertigungen.


# Gewinnen B2 c

## Bierfassrollen

Bierfassrollen ist grundsätzlich ein Outdoor-Sport. Es spielen immer zwei Mannschaften gegeneinander. Jede Mannschaft besteht aus zwei Personen.
Als Sportgeräte zählen jeweils ein Fass mit einem Volumen von 100 Litern, das ein Circa-Gewicht von 52 Kilogramm haben muss, und ein dazugehöriger Holzstock, der die Länge von einem Meter hat. Sowohl das Fass als auch der Holzstock werden vom Wettkampfveranstalter gestellt. Es kann also keine Mannschaft ihr eigenes Fass oder ihren besonderen Stock mitbringen.
Beide Mannschaften müssen nun ihr Fass eine festgelegte Strecke entlangrollen und dabei eine gute Zeit erringen. Die Strecke hat eine Länge von 600 Metern und muss drei Wendungen enthalten. Die Zeit wird vom Start weg bis zur Überquerung der Ziellinie gemessen.
Das Fass darf ausschließlich mit dem Stock berührt werden, das heißt, Hände oder Füße zum Beispiel dürfen nicht eingesetzt werden, um das Fass auf der Strecke zu halten. Eine Mannschaft, die die andere Mannschaft in irgendeiner Form behindert, wird sofort disqualifiziert.
Wettkampfsieger ist die Mannschaft, die mit der besten Zeit das Ziel erreicht.


# Risiko E2

Sie sind der verlassene Ehemann **Franz Gassner**.
Sie beschuldigen Ihre Frau, dass sie alles kaputt gemacht hat, was Sie gemeinsam aufgebaut haben.
Sie sind böse auf Ihre Frau. Sie können das, was sie gemacht hat, überhaupt nicht verstehen.
Ihre Argumente:
▲ Sie haben jetzt viele Probleme.
▲ Sie finden keinen Platz für Ihren Vater im Pflegeheim.
▲ Sie haben Geldsorgen, weil Sie eine Haushaltshilfe, eine Krankenpflegerin und Arbeiter für den Hof und den Stall beschäftigen müssen. (Diese Arbeiten hat vorher Ihre Frau gemacht.)
▲ Die Kinder vermissen ihre Mutter und haben psychische und schulische Probleme.
   Sie brauchen psychologische Betreuung und Nachhilfe.
▲ Außerdem fühlen Sie sich abends sehr einsam.

Text `2`

`a`  Lesen Sie die Aussagen. Hätten Sie das gedacht? Kreuzen Sie an.

| Alt sein in Deutschland | Das finde ich erstaunlich. | Das kann doch nicht stimmen! | Das überrascht mich nicht. |
|---|---|---|---|
| 14 Millionen Deutsche (von insgesamt 82,5 Millionen) sind älter als 65. | ☐ | ☐ | ☐ |
| Die Deutschen werden heute doppelt so alt wie ihre Vorfahren im 19. Jahrhundert. | ☐ | ☐ | ☐ |
| Dreimal so viele Senioren besuchen heute Rock- und Popkonzerte wie noch vor zehn Jahren. | ☐ | ☐ | ☐ |
| An deutschen Universitäten studieren etwa 37 000 Rentner. Ihr Lieblingsfach: Geschichte. | ☐ | ☐ | ☐ |
| 10 % der Rentner leben im Seniorenheim, von den über 95-Jährigen nur 9 %. | ☐ | ☐ | ☐ |
| Wer 100 wird, bekommt Post vom Bundespräsidenten. Vor 40 Jahren waren es 40 Briefe, im vergangenen Jahr 3825. | ☐ | ☐ | ☐ |
| Je 1000 Einwohner werden 20,4 Unfälle von jungen Menschen verursacht, aber nur 2,2 Unfälle sind auf Menschen über 75 als Unfallverursacher zurückzuführen. | ☐ | ☐ | ☐ |
| Zwei von drei der über Sechzigjährigen würden gern „Essen auf Rädern" in Anspruch nehmen. | ☐ | ☐ | ☐ |

`b`  Ergänzen Sie.

1  Ich hätte nicht gedacht, dass dreimal so viele ...
2  ... doppelt so alt wie ... Das ist ja unglaublich.
3  Zwei von drei ... Das finde ich erstaunlich.
4  Nicht einmal ein Zehntel der über ... Das kann doch nicht stimmen!
5  Das Lieblingsfach der ... Das überrascht mich nicht.

# Faszination `E3`

Einige Tage später klingelte es an der Tür. Es war Frank, ein Nachbar: „Wir haben dich am Wochenende spielen sehen, du brauchst ein Schlagzeug, unbedingt. Komm und hilf mir tragen, ich hab's gleich dabei." ...
5 Glücklicherweise lebe ich in einem Künstlerhaus, es haben sich mir schon drei Schlagzeuglehrer zu unterschiedlichen Konditionen angeboten: Einer möchte fünf Euro die Stunde, einem anderen reicht 'ne warme Mahlzeit, und der dritte überlegt noch, wie viel er verlangen kann. Einfacher hätte es nicht laufen können. 10

Text `1`

# Das Meer

Wenn man ans Meer kommt
soll man zu schweigen beginnen
bei den letzten Grashalmen
soll man den Faden verlieren[1]

5   und den Salzschaum
und das sanfte Zischen des Windes
einatmen
und ausatmen
und wieder einatmen

10   Wenn man den Sand sägen hört
und das Schlurfen der kleinen Steine[2]
in langen Wellen
soll man aufhören zu sollen[3]
und nichts mehr wollen wollen[4]
15   nur Meer

Nur Meer

Erich Fried

[1] den Faden verlieren, *hier*: nicht mehr an vorhin denken
[2] Sand sägen, Schlurfen der kleinen Steine, *hier*: poetische Bilder für die Geräusche am Strand
[3] aufhören zu sollen, *hier*: nichts mehr für andere machen
[4] nichts mehr wollen wollen, *hier*: ruhig sein, nichts mehr tun

Lösen Sie die Aufgaben.

1  Was ist richtig? Kreuzen Sie an.

☐ Der Autor beschreibt, was er einmal erlebt hat, als er am Meer war.
☐ Der Autor beschreibt, wie es immer sein soll, wenn man am Meer ist.

2  Markieren Sie: Was soll man tun? (mit einer Farbe)
Was soll man nicht tun? (mit einer anderen Farbe)

3  Machen Sie jetzt Aufgabe D1c. Sprechen Sie. Beginnen Sie so: *Ich habe ein Gedicht von Erich Fried gelesen: Das Meer. Immer wenn man ans Meer kommt, soll man ...*

## Faszination `C3` `a`

Wenn sich ein Irrtum jemals gelohnt hat, dann dieser. Im Eichendorff kommt moderne Hausmannskost auf den Teller, die durchweg frisch zubereitet und herrlich abgeschmeckt ist. Die cremige Kürbissuppe (drei Euro) war zusätzlich mit gerösteten Kürbiskernen bestreut, zur sehr zarten Leber und zum saftigen Schweinefilet in körniger Senfsoße gab es leckeres Kartoffelpüree und ein herzhaftes Sauerkraut. Der Linsencurry mit
5  Kartoffeln und Blumenkohl war perfekt aromatisch-scharf gewürzt. Die direkt aus dem Eisfach servierte Schokoladencreme war nach kurzer Aufwärmzeit herrlich sahnig wie auch die Panna Cotta mit Brombeersoße.
Von jetzt an gehe ich jedenfalls gerne absichtlich in diese freundliche Gaststätte, und wie es in Essers Gasthaus war, erzähle ich Ihnen in der nächsten Woche.

### Spielregeln für *Mäxchen*

Man braucht: 2 Würfel, 1 Würfelbecher, 1 Bierdeckel, Streichhölzer, mindestens 3 Mitspieler

Es wird reihum gewürfelt. Beim Würfeln muss man so unter den Becher schauen, dass die anderen Mitspieler die Würfel nicht sehen können.

Das Würfelergebnis interpretiert man wie folgt:
Die Augen des höheren Würfels werden als Zehner-, die des niedrigeren als Einerstelle einer zweistelligen Zahl gewertet. So wird zum Beispiel aus 3 und 6 63. Achtung: Wer 36 sagt, bekommt ein Streichholz und hat die Runde verloren!
Die 31 ist der niedrigste Wert, dann folgen alle Werte aus zwei verschiedenen Zahlen bis 65. Sind beide Zahlen gleich groß (also gleiche Augenzahlen), so spricht man von einem Pasch: Einer- bis Sechser-Pasch. Ein Pasch ist immer mehr wert als eine Kombination. Schließlich die 21, das *Mäxchen*, das höchstmögliche Ergebnis. Wer ein Mäxchen würfelt, hebt den Becher sofort hoch, weil er nicht überboten werden kann. Der nachfolgende Spieler bekommt ein Streichholz.

Man schiebt nach dem Würfeln den Becher mit den Würfeln verdeckt zum nächsten Spieler und nennt ihm das richtige Ergebnis oder ein anderes, wenn man möchte. Man muss aber immer ein Ergebnis nennen, das höher ist als das des Vorgängers. Der nächste Spieler muss dann entscheiden, ob er einem glaubt oder nicht. Tut er es, so muss er weiterwürfeln und die Zahl überbieten. Glaubt er einem nicht, so wird nachgeschaut. Hat man geschummelt, also weniger gewürfelt, als man behauptet hat, bekommt man ein Streichholz. Hat man hingegen mindestens so viel gewürfelt wie behauptet, bekommt der Zweifler ein Streichholz. Wer zuerst 10 Streichhölzer hat, hat leider verloren. Wer die wenigsten gesammelt hat, ist der Sieger.

# Risiko E2

Sie sind **Moderatorin/Moderator** in einer Talkshow.

Ihre Rolle:
Sie achten darauf, dass alle Beteiligten zu Wort kommen.
*…, vielleicht möchten Sie zu diesem Punkt auch noch etwas sagen?*
*… Ja, Frau / Herr …*

Sie fragen nach und verlangen genauere Erklärungen oder Beispiele.
*Können Sie das an einem Beispiel erklären?*
*Können Sie uns das erklären?*
*Was bedeutet das für …?*
*Das heißt wahrscheinlich, dass …*

Sie verlangen eine Reaktion oder eine Gegenposition.
*Frau / Herr … meint, dass … Glauben Sie das auch, Frau / Herr …?*

Sie stellen eventuell Behauptungen auf, die provozieren.
*Ich könnte mir vorstellen, dass …*
*Vielleicht könnte es sein, dass …*

Beispiel für eine Provokation:
*Herr Gassner, es könnte doch aber auch sein, dass es nun auch für Sie viel schöner und ruhiger zu Hause ist, weil Sie zum Beispiel keinen Streit mehr haben.*

Text **2**

# In Kairo

Es gibt jeden Tag diese unglaublichen Minuten, und es gibt sie mehrmals: Wenn ich auf der Terrasse unserer Wohnung auf dem Dach des Al-Masri-Tower stehe und die Muezzine zum Gebet rufen. In diesen Minuten wird Kairo zum Klangkörper. Das Singen der
5 Muezzine verschwimmt sechzig Meter über der Stadt zu einem Klang, der an das Gesumm im Bienenstock erinnert, wenn sich ein Mensch nähert. Oder an den Moment vor dem Beginn eines klassischen Konzerts, wenn der Dirigent erscheint und sich alle Musiker auf einen Ton einstimmen ...

10 Mehrere Minuten hält die Stadt diesen Ton, ist wie verzaubert, doch dann verschwindet der Ton ebenso schnell, wie er gekommen ist, und Kairo klingt wie immer... Nach Gehupe und Motoren.

## Lösen Sie die Aufgaben.

**1** Was ist richtig? Kreuzen Sie an.

☐ Der Autor beschreibt ein Ereignis in Kairo, das er einmal erlebt hat.
☐ Der Autor beschreibt ein Ereignis in Kairo, das er immer wieder erlebt.

**2** Wie klingt Kairo, wenn die Muezzine zum Gebet rufen? Unterstreichen Sie.
**3** Was hört man in Kairo normalerweise?
**4** Machen Sie jetzt Aufgabe D1c. Sprechen Sie.
   Beginnen Sie so: *Ich habe einen Bericht über Kairo gelesen.*
   *Der Autor beschreibt eine bestimmte Situation. Immer wenn er ...*

# Erwischt **B1**

## Rätsel 1
Hans K. ist eigentlich Friseur. Er hat kein Abitur und hat nie Medizin studiert.
Er hat sich die nötigen Papiere selbst geschrieben. Seine Praxis war immer voll.
Seine Patienten kamen gern zu ihm, sogar von weither, und können gar nicht glauben,
dass er ein Betrüger ist.

## Vertrautes F3 b

**„empfindungswörter"**

aha die deutschen
ei die deutschen
hurra die deutschen
pfui die deutschen
ach die deutschen
nein die deutschen
oho die deutschen
hm die deutschen
nein die deutschen
ja ja die deutschen

*Rudolf Otto Wiemer*

## Risiko E2

Sie sind **die Psychologin/der Psychologe** und verstehen die Situation von Frau Gassner sehr gut.

▲ Frau Gassner musste körperlich schwer arbeiten wie ein Mann, das hat sie einfach nicht mehr ausgehalten (zum Beispiel im Stall).

▲ Daneben musste sie den Haushalt machen.

▲ Sie musste sich um die Erziehung der Kinder kümmern.

▲ Sie hat den kranken Schwiegervater gepflegt.

▲ Sie hatte keine Zeit für sich, keine Zeit für ihre Interessen (morgens um fünf aufstehen, bis abends um zehn, halb elf arbeiten).

▲ Dafür bekam sie kein Gehalt, keine Anerkennung.

▲ Sie hätte gern in ihrem eigenen erlernten Beruf gearbeitet, das hat ihr Ehemann ihr aber nicht erlaubt.

▲ Frau Gassner musste diesen Schritt wagen, um herauszufinden, wer sie eigentlich ist, was sie wirklich in ihrem Beruf kann.

## Eintauchen E4

A

**Sie möchten sich im Kurs mit Ihren „Lieblingshelden" aus der Kindheit beschäftigen? Dann lösen Sie jetzt bitte die folgenden Aufgaben.**

1 Welche Bücher-, Kassetten- oder Filmhelden kennen Sie aus Ihrer Kindheit? Machen Sie Notizen.

2 Sammeln Sie und sortieren Sie. Gibt es Helden, Figuren oder Idole, die von vielen genannt wurden? Bilden Sie „Fanklubs".

3 Gesprächsrunde im Fanklub: Sprechen Sie über die folgenden Punkte. Verwenden Sie dabei auch die Wendungen und Ausdrücke aus E3a.

- Wann haben Sie ...zum ersten Mal ... gehört / gelesen / gesehen?
- Wie oft haben Sie ... / Wie viel haben Sie ...?
- Lesen / Hören / ... auch heute noch ...?
- Welche Geschichte / Stelle ... war besonders spannend / witzig / traurig / schön / geheimnisvoll?
- Wie viele haben Sie davon ...?

# Vertrautes G2 a

# Vertrautes A2 b

## Lösungen

1 alter Mann, junge Frau, alte Frau
2 gleich groß
3 ja, parallel

# Risiko E2

Sie sind **die Pfarrerin/der Pfarrer** im Dorf der Familie Gassner und kennen die Familie seit langer Zeit. Sie stehen auf Franz Gassners Seite und halten zu ihm, obwohl Sie Lena Gassner tüchtig und ordentlich fanden. Sie sind aber der Meinung, dass ein Eheversprechen für alle verbindlich ist, dass Lenas Weggang wie ein Betrug ist.

▲ Eine Frau darf ihre Familie nicht verlassen und mit allen Problemen allein lassen.

▲ Der arme Mann muss nun die gesamte Verantwortung allein tragen.

▲ Er muss die ganze Arbeit allein machen.

▲ Die Kinder müssen nun ohne Mutter aufwachsen. Das ist schlimm für die Kinder.

▲ Der Vater kann die Aufgaben der Mutter auf dem Hof nicht übernehmen.

▲ Der Vater hat auch keine Zeit, sich um die Schule und die Hausaufgaben zu kümmern.

▲ Und wer soll den Haushalt machen? Der Vater muss nun jemanden einstellen.

## Erwischt [B1]

### Rätsel 2

Klaus T. gab sich als Graf aus. Er war immer sehr elegant gekleidet und
trat freundlich und zuvorkommend auf. Er ging in die teuersten Geschäfte der Stadt,
lebte in einer Luxuswohnung und fuhr nur die teuersten Autos. Allerdings bezahlte
er das alles mit ungedeckten Kreditkarten oder gar nicht. Die Leute vertrauten ihm.

## Fokus Grammatik Seite 99

# Hagenbuch

Hat jetzt zugegeben
Daß der diese Geschichte
Die er jetzt erzählen wolle
Noch niemandem erzählt habe
Und sie auch niemandem erzählen werde
Weil sie ihm niemand glaube
Obwohl er immer wieder angehalten werde
Selbst von den höchsten Kreisen
Diese Geschichte doch endlich zu erzählen
Erzähle er sie nicht
Erzähle er sie niemandem
Keinem
Auch nicht dem Geringsten

Er habe zwar vorgehabt diese Geschichte
Auf dem immer wiederkehrenden Psychologentreffen
              in Lindau
Zu erzählen
Aber er habe gewußt
Daß diese Geschichte vom Flughafen und dem Kinde
Die er noch niemandem erzählt habe
Auch nicht seinen Freunden Fugger und Wiesendanger
Kastner und Kreutenstamm
Daß er in Lindau von den verehrten Damen und Herren
              Psychologen
Nur zu hören bekommen hätte
Was fällt Ihnen zu Flughafen ein
Was fällt Ihnen zu Kind ein
Was fällt Ihnen zu Landebahn ein
Was fällt Ihnen zu Jahrlelang ein
Diese tödlichen Assoziationen könne er sich zur Zeit
Nicht leisten

Darum habe er auch in Lindau diese Geschichte
Ganz für sich behalten
...

**Seite 14: 1 b** 1 dass 2 weil 3 dass **2 b** die *weil*-Sätze **3** In Text 1 gehören die dass-Sätze zu *ich denke*; in Text 2 gehören die weil-Sätze zur Frage *warum*. **4** In den literarischen Textauszügen aus Büchern von Gerald Szyszkowitz beziehen sich *dass* und *weil* auf folgende Satzteile: Text 1 auf *Motiv*; Text 2 *dass* auf *sagen* im Hauptsatz, *weil* als Angabe zu dem *dass*-Satz: *ich habe ihn umgebracht, weil* … Text 3: auf das *warum* im indirekten Fragesatz.

**Seite 16: 1** 1: Mag ja sein, dass / aber 2: zwar / aber 3: Ja schon , aber 4: Aber 5: meine Zweifel, aber **2** 1

**Seite 29: 1 b** 1 schrecklichsten / - / - / - / - / - / - / linkes / - / - / - / - / 2 große / gute / - / - / gute / -
**d** Im Deutschen verwendet man häufig Adjektive nach *sein/werden/bleiben/finden*. **2 a** keine Endung nach *sein/werden/bleiben/finden* – eine Endung, wenn es vor einem Nomen steht

**Seite 32: 1 a** wollte / kam / sagte / war / packte / legte / fragte / standen / wusste / trat / nickte / fragte / wollte / erkannte / unterdrückte / meinte **b** habe – gewusst / erzählt hast / hast – ausgeweint / habe – getröstet / hat – geändert **2 a** mündlich / schriftlich erzählen: Perfekt / haben, sein, wollen, müssen, dürfen, sollen: Präteritum **b** in Fachtexte/Sachtexten/Lexikoneinträgen: Präteritum / in Zeitungstexten: Präteritum / in Gesprächen, Diskussionen: Perfekt / im persönlichen Brief: Perfekt / im Märchen: Präteritum **c** 1 Perfekt Text 2 / 2 Perfekt Text 2 / 3 Präteritum Text 1 **3 a** weil man im Deutschen als Autor stilistische Freiheiten hat

**Seite 42: 1 b** ich, du, er, sie mir mich, … persönlich / es unpersönlich **2** 1 dem 2 Die 3 Das ist … 4 die da – die 5 das **3 b** es: ist obligatorisch, gehört also fest zu einem Ausdruck – leitet eine Information ein, die danach kommt / das: bezieht sich auf etwas, was bereits gesagt wurde – kann stark betont sein **c** 5 es 6 es / das (auch es möglich) 7 Es 8 es / Das 9 Das

**Seite 43: 1 b** 2 Was 3 Wo 4 Wie 5 Womit 6 Wem **a** 1 Sankt Martin 2 sein Mantel 3 Im Schnee 4 still 5 mit dem Schwert(e) 6 ihm **2** 1 ist ein Nebensatz 2 einem Fragewort 3 ob 4 ein Punkt **3** ob sie die neue Stelle annehmen soll / ob sie Udo heiraten soll / ob sie wirklich eine Familie will / ob sie sich eine neue Wohnung suchen soll oder nicht / ob sie die Bewerbung … wegschicken soll / ob sie ihren Geburtstag feiern soll / wo sie ihren Geburtstag feiern soll

**Seite 56: 1 b** 1 Wunsch nach 2 um 3 Ziel 4 damit 5 weil **2 b** 1 kein eigenes Subjekt 2 keinen Satz mit *um zu* bilden 3 den Satz mit *um zu* 4 es betonen will

**Seite 60: 1 c** 1 B/A 2 B/A 3 A/A 4 B/A/A

**Seite 69: 1 b** gehört fest zum Ausdruck: auf Deutsch, auf Japanisch **c** ist Teil der Ortsangabe: vor der Klasse, auf dem Schulhof usw. **d** 1 gehören fest zum Verb; 2 haben eine eigene Bedeutung **2 b** möglichst weit hinten im Satz

**Seite 73: 1** 1 C 2 B 3 A 4 B 5 C **2 a** 1 Sie *wird* zu Hause sein. 2 Es *wird* den ganzen Tag regnen. **3 b** 1 F 2 A 3 H 4 B 5 D / G: das hängt von der kommunikativen Situation ab 6 C 7 D / G: das hängt von der kommunikativen Situation ab 8 E 9 E 10 F 11 C 12 C **4 a** 1 dass der Sprecher vermutet, glaubt, hofft, dass etwas passiert oder so ist. 2 dass der Sprecher vermutet, hofft, dass etwas passiert ist oder so war.

**Seite 83: 2** die / denen / die / denen / die / deren **3 b** 1 a 2 a 3 b **4** 1 Wer 2 Wer / wo 3 Was

**Seite 86: 1** 1 Im Gegensatz zu 2 Während 3 aber 4 jedoch 5 dagegen **2 a** 1 Während 2 Im Gegensatz zu 3 während 4 aber 5 jedoch / dagegen / aber 6 jedoch / dagegen / aber **c** 1 Am Anfang eines Nebensatzes 2 immer auf ein Nomen 3 am Anfang eines Hauptsatzes 4 können hinter dem Verb stehen **3** 1 Während 2 aber / jedoch / dagegen 3 Im Gegensatz zu

**Seite 99: 1 c** Gegenwart: wolle / glaube / erzähle Vergangenheit: erzählt habe / behalten habe Zukunft: erzählen werde Passiv: angehalten werde **d** Man kann die indirekte Rede durch die Formen des Konjunktiv I nur im Singular erkennen (außer sein).

**Seite 100: 1 a** Konjunktiv I: gebe / sei / sei / lasse / sei / seien / zerstöre / befinde / werde / gebe / müsse Konjunktiv II: ergäben / schmelzen würden / könnten / Verben des Sagens und Meinens: schockierte / betonte / wiederholte / wies darauf hin / erklärte **b** 1 Der Konjunktiv I ist *eine* Möglichkeit für die Redewiedergabe 2 *nur den Konjunktiv I* ist falsch. 3 Die beiden Aussagen sind falsch. **2 a** 1 darfst 2 hat das nie gesagt 3 hilfst 4 ist. **b** keinen Konjunktiv **3 a** 1 selten 2 verstehen können 3 kennen 4 die Konjunktiv-I-Formen der 3. Person lernen

**Seite 114: 1 a** 2 / 4 / 5 **c** 1: Satz 3, 6 / Am Anfang eines Nebensatzes 2: Satz 2, 4 / Am Anfang eines Hauptsatzes, Satz 1, 7 / können auch in einem Satz stehen. 3: Satz 5 / Eine Präposition mit Genitiv **2** 1 Trotzdem / Dennoch 2 trotz 3 trotzdem / dennoch 4 Obwohl 5 dennoch / trotzdem

**Seite 116: 1 a** links A, rechts B **b** Person A: Er tut etwas. Person B: Er tut nichts. **c** b **2** b c kochendes / alarmierte / gerufene / verbrannte / erschrockenen / kühlenden (ev. auch gekühlten, wenn sie aus dem Kühlschrank kommt, aber nicht im Sinne einer Therapie verstanden) / voll besetztes **d** 1 gestresst / schmerzende / zuckende / brennende / stechende 2 gestresst / empfindlich 3 ermüdend / nervend 4 gestresst / überlastete / erschöpften

# Quellenverzeichnis

| | |
|---|---|
| Umschlag: | o.l. nach u.r. © W. M. Weber/TV-yesterday; 2 x © irisblende.de; © BananaStock; © irisblende.de; © PantherMedia/J. Schian; © Sylent-Press/Peter Sylent; © PantherMedia/K. Krüger; © MEV; © picture-alliance/dpa; © PantherMedia/Radka L.; © PantherMedia/H.Spona; © picture-alliance/dpa; © picture-alliance/akg-images/Cordia Schlegelmilc |
| Seite 10: | A © PantherMedia/Hans-Joachim A.; B © MEV; C © Hueber Verlag; D © bildunion/Katze; E © picture-alliance/dpa; F © Agencja Free/F1 ONLINE |
| Seite 11: | oben: A © Superbild/Fotobias; B © PantherMedia/Hans-Joachim A.; C © irisblende.de; D © PantherMedia/M. Schwarz; E © MEV; Mitte © MEV; unten links und rechts © MEV |
| Seite 12: | Text *Geplatzter Traum* von Simone Buchholz aus: Fluter Heft 6, 4/2003 © Fluter-Magazin der Bundeszentrale für politische Bildung/Magazin Verlagsgesellschaft Süddeutsche Zeitung, München; Fotos von links: © Hueber Verlag (2x), © irisblende.de, D © Auktionshaus Ursula Nusser – www.nusser-auktionen.de, © W. M. Weber/TV-yesterday |
| Seite 14: | Text 4 (1, 2, 3) © Gerald Szyszkowitz |
| Seite 16: | © MEV |
| Seite 17: | oben von links: © picture-alliance/akg-images/Cordia Schlegelmilc, © Hueber Verlag, © INTERFOTO München, © INTERFOTO/Crocodile Images; unten © Hueber Verlag (2x) |
| Seite 18: | Text *Mitten im Leben* aus dem Artikel *Junge Junge* mit freundlicher Genehmigung von Bernd Hartmann aus: NEON Magazin v. 15.08.2005; Foto © anshuca/fotolia.com |
| Seite 19: | © J. R. Garcia |
| Seite 22: | 20er © picture-alliance/akg-images/Paul John; Nachkriegszeit © DHM/Sammlung Boris Puschkin; 50er © picture-alliance/dpa; 80er © argus/Schroeder |
| Seite 23: | 70er © akg-images/Straube; Jahrtausendwende © picture-alliance/ZB; Expo-Logo mit freundlicher Genehmigung von Exposeeum e.V.; 60er © SZ Photo |
| Seite 24: | A © MEV; B © PantherMedia/Hermann Feis; C © PantherMedia/Radka Linkova; D © MEV; E © irisblende.de |
| Seite 25: | Kirschblüten © PantherMedia/K. Schönepauck; nächtliche Stadt © irisblende.de; Bahnhof © irisblende.de; Markt © irisblende.de; Zitronen © PantherMedia/H. Spona |
| Seite 26: | Liedtext *Ein Kompliment* Musik: Peter Stephan Brugger, Florian Weber, Rüdiger Linhof, Text: Peter Stephan Brugger © by Edition Sportfreunde/Neue Welt Musikverlag GmbH & Co, KG, Hamburg/© by Arabella Musikverlag GmbH (BMG Music Publishing Germany), München; Foto © Hueber Verlag |
| Seite 27: | Text nach: *Denkmal fürs Gasthaus* von Helmut Gote aus: Kölner Stadt-Anzeiger vom 13.06.06 |
| Seite 28: | Bild oben und unten © Thinkstock/iStockphoto; Mitte © Hueber Verlag (2x) |
| Seite 29: | Text aus *Kindergeschichten* von Peter Bichsel © Suhrkamp Verlag Frankfurt am Main 1997; Foto Narr © Hueber Verlag |
| Seite 30: | oben: A © MEV, B © PantherMedia/Eugen Auer, C © PantherMedia/Brockenhexe, D © irisblende, E © irisblende, unten: Wiese, Dorf und Schloss © MEV, Stadt © Bernd Kröger/fotolia.com |
| Seite 31: | Text von Susanne Weber, www.hermes.zeit.de/pdf/archiv/online/2006/52/mein-leben-mit-musik-51.pdf, 04/2006 |
| Seite 32: | Text 1a aus: *Das fliegende Klassenzimmer* von Erich Kästner © Atrium Verlag, Zürich und Thomas Kästner; Text 1b aus: *Werter Nachwuchs* von Christine Nöstlinger © Patmos Verlag GmbH & Co. KG, Düsseldorf |
| Seite 36: | Brüder Grimm © picture-alliance/IMAGNO/Austrian Archives; Zwerg Nase © Münchner Marionettentheater, www.muenchner-marionettentheater.de; alle anderen Fotos auf der Seite © Die Holzköppe, www.die-holzkoeppe.de |
| Seite 37: | Wilhelm Hauff © picture-alliance/dpa; Der kleine Muck © Klick Klack Theater, www.klick-klack-theater.de |
| Seite 38: | B © PantherMedia/Michaela K.; C © mit freundlicher Genehmigung des St. Martin-Vereins Kempen; D und E © irisblende.de; F © Hueber Verlag |
| Seite 39: | A © Moses Verlag; aus: Pocket-Quiz: Optische Illusionen, Teil 1, 2001; B © PantherMedia/Michaela Kraus |
| Seite 40: | oben: A © Sylent-Press/Peter Sylent; B © MEV; C © Karstadt Warenhaus AG; D © PantherMedia/Wolfgang Flöting; E © PantherMedia/Wolfsblut; unten: alle Fotos © mit freundlicher Genehmigung des St. Martin-Vereins Kempen |
| Seite 41: | Hinweis auf den Hörtext von Wladimir Kaminer aus: Ich mache mir Sorgen, Mama © by 2004 Manhattan Verlag, München in der Verlagsgruppe Random House GmbH |
| Seite 42: | Text 1b aus: Gerhart Hauptmann: Sämtliche Werke, hrsg. von Hans-Egon Hass © 1996 Propyläen Verlag in der Ullstein Buchverlage GmbH, Berlin |
| Seite 43: | © Amir Kaljikovic/fotolia.com |
| Seite 44: | © irisblende.de |
| Seite 45: | A © MEV; B © BananaStock; C © irisblende.de; D © MEV; E © PantherMedia/Laura Boese |
| Seite 47: | Text *Bei uns in Ghana* von George Koomson aus: Stern 24/2006* |
| Seite 50/51: | Schützenfest © picture-alliance/dpa; Basler Fasnacht © Basel Tourismus; Stoppelmarkt Vechta © picture-alliance/dpa; Unspunnenfest © www.unspunnenfest.ch; Christkindlmarkt © Kreitner & Partner; St. Veiter Wiesenmarkt © Stadtgemeinde St. Veit/Glan; Oktoberfest © PantherMedia/Elke Elizabeth Rampfl-Platte |
| Seite 52: | A © PantherMedia/J. Schian; B © irisblende.de; C © Hueber Verlag; D © PantherMedia/Werner Heiber |
| Seite 53: | © Gerd Pfeiffer, München |
| Seite 57: | Text und Cover: Hans-Ulrich Grimm. Die Suppe lügt. Die schöne neue Welt des Essens. Klett-Cotta, Stuttgart, 1997. Aktualisierte Neuausgabe 2005 |